JORGE NEGRETE

Pocas figuras cinematográficas han sido tan grandes, queridas y admiradas como Jorge Negrete. Su caracter impulsivo fue causa de que no triunfara en Nueva York como cantante del Metropolitan Opera House, pues rechazó el papel que le ofrecieron por considerarlo poco para él. En cambio como actor de cine alcanzó cimas insospechadas convirtiéndose en el héroe de varias generaciones que continúan amándolo. Pasarán aún muchos años antes de que Jorge Negrete sea olvidado: su simpatía, su voz varonil, su presencia física, deleitan todavía al mundo de habla española a través de la televisión.

EDAMEX

LIBROS PARA

SER LIBRES

www.edamex.com

JORGE NEGRETE

Vida y milagros del inolvidable
artista narrados por
su admiradora más fiel.

Carmen Barajas Sandoval

Portada: Minerva Rodríguez Escalona.

Cuidado de la edición: Miriam Romo.

Colección "Historia, Biografías y testimonios.

Ficha Bibliográfica:

Barajas Sandoval, Carmen
Jorge Negrete
160 pág. de 17 x 23 cm.
Índice. Fotografías. Filmografía.
6. Biografías.

ISBN-970-661-142-8

EDAMEX, Heriberto Frías 1104, Col. del Valle, México 03100.
Tels. 5559-8588. Fax: 5575-0555 y 5575-7035.

Para enviar un correo electrónico diríjase a la página de internet:

www.edamex.com

Impreso y hecho en México con papel reciclado.
Printed and made in Mexico with recycled paper.

Miembro No. 40 de la Cámara Nacional de la Industria Editorial Mexicana.

Índice

Prólogo

Estas páginas son el relato personal de la amistad que tuve la fortuna de sostener con Jorge Negrete por muchos años.

Cuando escribí "Una Mujer Llamada María Félix", dije que no se trataba de una biografía en el estricto sentido de la palabra, sino que haría un relato de hechos que me constaban, y de otros que eran del dominio público, sobre la vida de María.

Ahora vuelvo a decir: no pretendo hacer una biografía de Jorge Negrete; será un relato personal de cómo viví el gran regalo que me hizo la vida al permitirme tener una estrecha relación de amistad y de trabajo con este hombre excepcional, con el deseo de que los jóvenes que lo conocen sólo a través de sus películas, pero que lo quieren y lo admiran como si aún siguiera entre nosotros, descubran facetas y datos personales sobre el ser humano que fue.

Alguien dijo que una persona tiene tantas facetas como amigos; es decir, que cada amigo verá en la persona una faceta distinta de la que vean los otros.

Pues bien, este Jorge Negrete que yo describo es el hombre que YO conocí y al que quise y admiré muchísimo.

CARMEN BARAJAS SANDOVAL

La familia Negrete

El 10 de marzo de 1937 nos cambiamos a la casa ubicada en la Av. Coyoacán No. 43-B, en la Colonia del Valle. Recuerdo la fecha con toda precisión porque el 10 de marzo es el cumpleaños de Yolanda una prima; y ese día, después de terminada la mudanza, mi madre y nosotros, sus cuatro hijos, fuimos a su fiesta. Tía Chita, hermana menor de mi madre, siempre hacía unas fiestas muy lindas para sus hijos y esa vez no fue la excepción: asistimos, fue una de las más bonitas, ya que todos usamos hermosos disfraces.

Frente a esa encantadora casa —que aún existe— hay un pequeño parque que se llama "Corpancho", adonde llevaba a jugar a mi hermana Edelmira, la menor de mi familia; a ese mismo parque iba una niña muy mona, con unas piernas muy bonitas, que se llamaba Teresa.

Tere, como se le decía de cariño, llevaba a pasear en su carreola a su sobrinito David, que entonces tenía seis meses de edad, hijo de su hermano mayor, de nombre también David.

Yo tenía once años y Tere dos más que yo y, como era natural, las dos nos hicimos muy amigas y empezamos a frecuentar nuestras respectivas casas.

Desde la primera vez que fui a casa de Tere me sentí muy a gusto. Sus papás eran unas personas lindísimas, cariñosas y llenas de amabilidad. Don David Negrete, el padre, era un señor adorable, juguetón, que gustaba de hacer bromas, siempre estaba de buen humor. Doña Emilia Moreno de Negrete, la madre, era una dama; siempre impecable en su atuendo, amable, sonriente y muy inteligente. Junto con sus cinco hijos: David, el primogénito; Jorge, el segundo; Consuelo, la tercera; Emilia, la cuarta, y mi amiga Teresa, la quinta, formaban una familia unida y linda.

Don David Negrete Fernández fue, durante varios años, un responsable y serio oficial del Ejército Federal en la época de don Porfirio.

De joven, don David se encontraba destacado junto con el contingente del ejército al que pertenecía, en la población de Silao, Guanajuato, donde un día casualmente vio por la calle a una bella y distinguida joven, de la cual quedó prendado de inmediato.

Enamorado desde el primer momento, el joven oficial se las ingenió para averiguar entre los integrantes de la sociedad de ese lugar quién era la hermosa joven, y tuvo éxito en su empresa. Supo por esas personas que ella pertenecía a una honorable familia y que se llamaba Emilia Moreno Anaya.

Averiguó también el domicilio de la dueña de sus pensamientos y se presentó en su casa, para solicitar autorización de los padres de la joven para conocerla, tratarla y poder visitarla, en caso de que ella así lo aceptara.

Para su fortuna, la familia de Emilia y la joven misma, aceptaron su amistad y empezó el cortejo. Conquistada la bella muchacha, se casaron el 18 de abril de 1909, en una sencilla y emotiva ceremonia.

La verdad es que desde el principio su matrimonio fue ejemplar y Dios les concedió que procrearan cinco hijos, el segundo de los cuales los colmaría de amor y de satisfacciones, porque Jorge fue un hijo ejemplar que los amó y respetó profundamente y que los llenó asimismo de cuidados y atenciones.

El primogénito, de nombre David —como su padre— nació en Silao, Gto., pero como don David tenía que moverse a donde se cambiara su regimiento, al poco tiempo de nacido el pequeño, la familia se mudó a la ciudad de Guanajuato, la capital del Estado.

Ahí, en la ciudad de Guanajuato, en una casa ubicada frente a la Plazuela del Ropero, el 30 de noviembre de 1911, nació el que llegaría a ser uno de los ídolos más grandes que ha habido en el mundo del espectáculo de habla hispana.

De pequeñito, Jorge fue a la escuela de Santa María de la ciudad de León, en el mismo Estado de Guanajuato, a donde se cambió el regimiento al que pertenecía don David. Para estas fechas se había iniciado ya la cruenta revolución contra Porfirio Díaz, que sacudiría hasta sus cimientos a la República y que costaría la vida a un millón de mexicanos.

En 1914, el regimiento de don David vuelve a cambiar de plaza y lo trasladan a San Luis Potosí, ciudad en la que nace Consuelo, la primera de las tres hijas del matrimonio Negrete-Moreno.

Como la situación se había tornado ya muy peligrosa y don David tenía que estar luchando al lado de sus compañeros de armas, piensa que lo mejor es enviar a su joven esposa y a sus tres pequeños hijos a la Ciudad de México, donde estarán un poco más seguros. Un oficial, compañero y amigo de don David, tenía que viajar a la capital y se ofrece para acompañar a doña Emilia con los niños y una fiel nana que llevaba mucho tiempo junto a la familia.

En la capital, doña Emilia se aloja temporalmente en la casa de la familia del oficial, hasta que en el mismo edificio quedó desocupado un departamento en el que luego se instalaron. Después de algunos meses su hermano Isaac se reunió con ella para acompañarla mientras puede volver a vivir al lado de su esposo.

Cuando el Ejército Federal fue licenciado en Apizaco, don David se retiró con el grado de Teniente Coronel. Entonces él y los demás oficiales y la tropa que formaban el destacamento del General Delgado, tomaron la decisión de pasar a formar parte de las fuerzas del General Francisco Villa, con quien combatieron por algún tiempo.

Un poco antes, y por su lado, se había unido también a Villa el ex federal, General Carabeu, a quien el propio Villa le encargó la defensa de la plaza de Torreón.

A su vez, el General Villa intentaba por esas fechas adquirir armas en el vecino país del norte, y comisionó al General Delgado para que se encargara de ese asunto. Para ir preparando el terreno, el General Delgado envió a don David y a otros dos oficiales de su Estado Mayor, a San Antonio, Texas, para que fueran buscando alojamiento y empezaran a hacer los contactos necesarios para la compra de las armas. El General Delgado saldría por ferrocarril al día siguiente por la tarde.

Mientras esto ocurría, Villa recibe informes de que el General Carabeu se había rendido y había entregado la plaza de Torreón, hecho que califica de traición a la causa, y pensando que el General Delgado pudiera hacer algo similar, motivado por su desconfianza hacia los ex federales, se encamina a la estación del ferrocarril en busca del General Delgado. Este, al verlo, le dice:

—Qué bueno que lo veo, General, quería despedirme de usted. Ya estoy por salir a San Antonio; el tren partirá en unos minutos.

A lo que Villa le respondió.

—Usted no irá a San Antonio. Se irá más lejos, a la... Y sacando su revólver le disparó varios tiros.

Cuando don David y los otros oficiales se enteraron de este terrible acontecimiento, se conmocionaron y optaron por abandonar las filas de Villa para salvar sus vidas que sin duda se encontraban en peligro.

Una vez tomada esta decisión, don David regresó a León, donde inicia un pequeño negocio comerciando con materiales necesarios para la industria del calzado. Ahí doña Emilia se reunió con su esposo. Ella era originaria precisamente de esa ciudad (mi padre también nació en León) y ahí nacería el cuarto vástago de la familia, nuevamente una niñita, a la que se le puso el nombre de su madre: Emilia.

Después de un par de años, don David y su familia, ahora más numerosa, se traslada a la ciudad de México, donde espera encontrar mejores condiciones para el desarrollo de sus hijos. Pero al llegar encontró que la situación era bastante difícil, al igual que en el resto del país. No tenía trabajo y parecía que no sería fácil encontrarlo.

Sin embargo, uno de sus mejores amigos le rogó que lo sustituyera, por razones de salud, como maestro en el Colegio Alemán, y en esa prestigiada institución encontró el trabajo que tanto necesitaba; al mismo tiempo, el ser profesor le daba la oportunidad de que sus hijos estudiaran en esa escuela, donde recibieron una magnífica educación y aprendieron a hablar el difícil idioma de Goethe.

Un par de años después de haber llegado a la capital, la familia Negrete recibió a un nuevo integrante: otra niñita que se llamaría Teresa y la que años más tarde sería mi muy querida amiga Tere.

Cuando Teresa nació, doña Emilia estuvo muy grave. Después del parto sufrió varios ataques de eclampsia que la dejaron en un estado de terrible postración, a grado tal que perdió la memoria. Como es natural, toda la familia estaba alterada, confundida y asustada por esta situación. Todos se desvivían por atender a la madre y nadie se acordaba de la pequeñita que acababa de llegar. Nadie, sólo el pequeño Jorge, que entonces tenía 12 años, recordó de pronto a la hermanita y se fue directamente a la cocina y él mismo le preparó, como Dios le dio a entender, su primer biberón. Tere fue siempre la consentida de Jorge, y algunas veces le recordaba burlón:

—A mí me tienes que respetar; ¡acuérdate que soy tu segundo padre!

Jorge fue siempre muy cariñoso y muy generoso con todos sus hermanos, pero por Tere tuvo una predilección especial. En años posteriores, cuando ya era famoso, la llevó a viajar con él por muchos países.

Afortunadamente para la familia Negrete, doña Emilia se recuperó de sus males, y recobró —por supuesto— la memoria. Poco a poco volvió a la normalidad y tiempo después todavía daría a luz a otro niñito, que se llamaría Rubén, el cual desgraciadamente murió a muy corta edad.

Sin embargo, el lugar del pequeño Rubén no quedó mucho tiempo vacío. Este lugar lo vino a llenar un chiquitín de seis años, hijo de un hermano de doña Emilia, llamado Jesús; mi querido amigo Chuy Moreno. Don David, hombre generoso y humano, a pesar de que su familia no era precisamente pequeña, tomó bajo su cuidado a este pequeño; y así Chucho, como un hijo más, vivió con sus tíos y primos hasta que se recibió de médico y se casó.

Como digo el principio de este relato, desde la primera vez que la visité fui muy feliz en la casa de los Negrete. Era una casa con un ambiente precioso, hasta las peleas entre los hermanos eran divertidas para mí, aunque no les entendía nada porque se peleaban en alemán. Era la casa de una familia unida y cariñosa en la que uno se sentía muy bien.

Siempre había visitas, tanto de amigos como de parientes. Familiares de doña Emilia y de don David pasaban a veces cortas temporadas en su casa, como el encantador tío Pedro Moreno, hermano de ella, a quien llamábamos Perico, que peleaba sin parar —siempre en broma— con su sobrino David. Se hacían maldades y se decían cosas que nos mataban a todos de la risa.

Bertha Negrete, hija de un hermano de don David, frecuentaba la casa con sus tres pequeños hijos, Rodolfo, Ricardo y Carlos Ancira Negrete. Carlos llegaría a ser uno de los grandes actores de este país. Yo siempre lo quise mucho y nos llevamos muy bien hasta su lamentable muerte.

A los 13 años, Jorge decidió que ya no quería ir más al Colegio Alemán, y se inscribió en la Escuela Nacional Preparatoria, con la anuencia de sus padres. Pero tampoco esto le satisfizo. Deseaba algo que fuera más interesante y le presentara nuevos retos.

LOS ABUELOS PATERNOS DE JORGE

Don Pedro Negrete   Doña Guadalupe
                                Fernández de Negrete

LOS ABUELOS MATERNOS DE JORGE

Grupo familiar donde aparecen los abuelos maternos de Jorge:
don Pedro Moreno y doña Jovina Anaya de Moreno.
La jovencita que está en el extremo derecho de la fotografía
es Emilita, futura mamá de Jorge.

LOS PADRES DE JORGE

Don David Negrete Fernández

Retrato de Bodas de don
David y doña Emilia

Fachada de la casa donde
nació Jorge en la Plazuela
del Ropero en la ciudad de
Guanajuato, Gto.

*Jorge a la edad de
cuatro años*

*Grupo de alumnos compañeros de clase de Jorge
en el Colegio Alemán. Jorge es el cuarto de izquierda
a derecha en la primera fila*

Bello grupo familiar, don David y doña Emilia con sus hijos:
David, Jorge, Consuelo y Emilita. Mi amiga Tere aún no nacía

David Negrete Moreno

Jorge Alberto Negrete Moreno

Consuelo Negrete Moreno

Emilia Negrete Moreno

El día de mi boda, con mi padre y el padre de Jorge Negrete,
mi muy querido don David.

Teresa Negrete Moreno

Don David Negrete Fernández   *Doña Emilia Moreno de Negrete*

Jorge, luciendo orgulloso su uniforme de militar

Quizá como algunos de sus antepasados fueron militares ilustres, así como su propio padre, Jorge sintió que lo que más le gustaría en ese momento, era ingresar al Colegio Militar.

Los antepasados ilustres a los que hago referencia, fueron —por el lado de doña Emilia— el General Pedro Moreno y el famoso General Anaya, aquel que durante la invasión norteamericana a nuestro país le dijo al oficial gringo la famosa frase: "Si tuviéramos parque no estarían ustedes aquí"; y por el lado de don David, el no menos famoso General Negrete, que participó destacadamente durante la Batalla del 5 de Mayo, cuando fueron derrotados los invasores franceses.

Aunque no tenía la edad requerida para ingresar al Colegio Militar, como para él nunca hubo imposibles, esgrimió su derecho de que lo habilitaran de edad por ser hijo de militar y así poder ser admitido en esa institución.

Jorge pasó cuatro años en el Colegio Militar, durante los cuales fue muy feliz, tenía buenos amigos, entre ellos se encontraba un tío mío que se llamaba Esteban Paullada; incluso eran compañeros de cuarto.

En 1931 se graduó con el grado de Subteniente, y tomó parte en la campaña contra Gómez y Serrano, lo que le valió el grado de Teniente.

Después de ocupar varios cargos administrativos, comprendió que tampoco era eso lo que quería para el resto de su vida, y pide licencia ilimitada del ejército. Siempre fue muy inquieto y necesitaba algo cambiante, creativo, que pudiera satisfacer su espíritu de artista.

Durante algún tiempo trabajó en la Secretaría de Guerra (ahora de la Defensa), estando todavía en el Colegio Militar, y una tarde en que estaba de descanso salió a pasear con un compañero llamado Guillermo Canales —que luego llegó a ser General—, vieron a una muchacha muy guapa y decidieron seguirla. Como guiado por la mano que lo conduciría a lo que en realidad sería su destino, llegó hasta la puerta de la casa del gran maestro de canto José Pierson, que era adonde se suponía que había entrado la muchacha, pero al entrar y buscarla la chica no estaba ahí. A Jorge le dio pena que el maestro pensara que él era un frívolo y, pensando rápidamente en una excusa, le dijo que había ido hasta ahí impulsado por el interés de tomar clases de canto.

La verdad es que siempre, desde pequeños, Jorge y su hermano David tocaban la guitarra y cantaban; desde luego, sólo como pasatiempo o para amenizar las fiestas familiares.

Jorge sabía que Pierson había sido el maestro de un buen número de estupendos cantantes que ya eran muy famosos a principios de los años 30, como Alfonso Ortiz Tirado; el maravilloso José Mojica; Fanny Anitúa, Pedro Vargas y muchos más.

El maestro pidió a Jorge que cantara algo para poder valorar su voz; y después de escucharlo quedó encantado de su timbre y potencia. Como Jorge siempre había deseado cantar ópera, pensó que ésta era una afortunada casualidad y, efectivamente, empezó a tomar clases con toda regularidad con el maestro. Esta relación duró varios años.

Al cabo de un tiempo, y animado por su maestro, quien siempre lo apoyó, Jorge cantó por primera vez "profesionalmente" en una modesta estación de radio que tenía las siglas XETR, quitándose su primer nombre y el apellido paterno así que canto bajo el nombre de Alberto Moreno, o sea, su segundo nombre y su apellido materno. El objeto de este cambio se debía a que, siendo todavía militar en activo, le preocupaba el que se le pudiera presentar algún problema de tipo oficial.

Así comenzó a moverse en el difícil ambiente del espectáculo.

Cuando yo empecé a frecuentar la casa de los Negrete, Jorge no estaba en México. A él lo conocería hasta unos meses después, pues estaba en Nueva York; había ido a la ciudad de los rascacielos con su amigo Ramón Armengod, quien también empezaba a incursionar en el negocio del espectáculo. Ambos luchaban por empezar a descollar. Armengod había conseguido un contrato para cantar a dúo en un programa que se difundía a través de la famosa estación radiofónica NBC, mismo que se trasmitía los martes y los viernes a las 7:30 de la noche. En el dueto, Armengod llevaba la primera voz y Jorge la segunda.

Pero el sueño de Jorge era llegar a cantar ópera en el famoso y prestigiado Metropolitan Opera House. Sabía que tenía una hermosa y potente voz, por lo que con un poco de suerte podría quizá llegar a realizar ese sueño. Y estando en Nueva York, el Metropolitan estaba más cerca.

En la casa de mi amiga Tere vivían entonces sus padres,

David, que ya estaba casado con una mujer chilena, llamada Anita Fagalde (con quien todavía tengo amistad), su hijito David, Emilita, la propia Tere y Chucho Moreno.

Cualquier persona podría pensar que la convivencia en una casa donde habitaban tantas personas y de tan diversas edades tendría que ser difícil y conflictiva. En cualquier casa probablemente sí, pero no en la de los Negrete. En todos los largos años que la frecuenté, en todo momento y a cualquier hora, porque yo entraba y salía sin ninguna restricción, jamás vi ni escuché problema serio alguno.

Mi adorada madre, con su alma de gitana que quién sabe de quién heredaría, se había cambiado nuevamente con toda su prole, por supuesto, de la casa de Av. Coyoacán # 43, a otra más grande y más bonita ubicada en la misma Av. Coyoacán, pero en el número 123 (1940-1943), y nuestros vecinos de enfrente, es decir, de la casa ubicada en el número 124, eran los Negrete. Así que ahora los tenía a tiro de piedra, y todo el día cruzaba la calle para ir a meterme a la casa de Tere.

Sé que don David me quiso mucho, pero no tanto como yo a él. Viejito adorable y encantador; claro que no era viejito para nada, pero como yo era una chiquilla, así me lo parecía entonces. Cuando él murió, en julio de 1947 (yo ya me había casado en mayo de ese mismo año), tenía aproximadamente 64 años; de manera que cuando lo conocí, diez años atrás, únicamente tenía 54 años, y de ninguna manera se es viejito a esa edad.

Doña Emilia, bella señora, siempre fue muy cariñosa conmigo, desde el primer día que me aceptó en su casa hasta su muerte, ocurrida muchos años después de la de Jorge, y de la de su hijo David. Esta bella señora, que tenía unas manos pequeñas y enérgicas, supo conducir a toda su familia con inteligencia y amor. Nunca, en todos esos años en que viví metida en su casa como si fuera la mía, la vi alterada; jamás la escuché levantar la voz, mucho menos gritar. Mi mamá, como buena costeña (nació en Campeche), era bastante gritona, por eso me llamaba tanto la atención que doña Emilia, aunque pudiera estar enojada, jamás levantaba la voz.

De esta ejemplar pareja guardo, y guardaré para siempre en mi corazón, un cariño entrañable por ese amor tan sincero y desinteresado que durante tantos años me dieron.

Durante esta larga amistad me tocó presenciar los eventos

importantes que ocurrieron en la familia, tanto los felices como los infortunados; entre los felices, las bodas de las tres hermanas. Consuelo, la mayor, se casó el 4 de octubre de 1938, con un hombre muy correcto y muy serio, pero al mismo tiempo muy agradable y simpático, que se llama Alfredo Farías de la Garza. Emilia, la segunda, se casó el 18 de abril de 1941, con un hombre a quien aprecié muchísimo y con el que tuve una estrecha amistad, se llamaba Gustavo Muñoz Mireles; por lo que su muerte fue algo muy triste para mí. La pequeña, mi amiga Tere, se casó el 7 de octubre de 1950 con el Ing. Manuel Gabucio y hemos seguido nuestra amistad hasta ahora, aunque por lo conflictivo de la vida en esta enorme ciudad a veces no nos vemos con la frecuencia que yo quisiera.

Nueva York

Volviendo al viaje a Nueva York, lo curioso es que éste, planeado por Ramón Armengod, era para compartirlo con Emilio Tuero, pero como la carrera del "Barítono de Argel" iba en ascenso y aquí en México tenía muchas opciones de trabajo, a última hora se echó para atrás y dejó plantado a Ramón. Éste, muy descorazonado, anduvo tratando de entusiasmar a otros compañeros, como Miguel Bermejo y el Güero Gil, para que lo acompañaran, pero no encontró eco en ninguno; entonces Jorge, que estimaba mucho a Armengod, le dijo:

—Moncho, si quieres yo te acompaño. A mí me interesa mucho tratar de triunfar en esa ciudad.

Y los dos amigos, llenos de entusiasmo, partieron para la Babel de Hierro. Pero como, naturalmente, andaban cortos de fondos, en el trayecto hacia la frontera, decidieron hacer una parada en Monterrey, lugar donde les habían ofrecido un par de programas de radio, mismos que se transmitirían por la estación XEMR y con la paga que recibirían se sentirían un poco más desahogados.

En Nuevo Laredo hicieron otra parada, allí nuevamente actuaron en una radiodifusora para poder reunir un poco más de dinero con qué solventar sus gastos de viaje.

De Nuevo Laredo salieron en un autobús de la Greyhound para Nueva York. Se instalaron en un modesto hotel y empezaron a cantar en un programa radiofónico. Para entonces habían rebautizado al dueto al que llamaron "The Mexican Caballeros". Por sus dos programas semanales recibían un sueldo de 120 dólares que, repartidos entre los dos, eran punto menos que nada, por lo que empezaron a buscar otras fuentes de trabajo en otras difusoras de las ciudades cercanas, en los teatros y en los cabarets.

Jorge, muy joven, cuando soñaba con triunfar en Nueva York.

Cuando ya cantaba en la NBC

Así estuvieron trabajando algunos meses hasta que Armengod recibió una oferta que era imposible de rechazar. Cualquier persona que conozca la música norteamericana y las primeras grandes bandas que la interpretaron sabrá quién fue el famoso director Guy Lombardo; pues para cantar como "crooner" (solista) en esa orquesta fue contratado Ramón Armengod, por lo tanto, el dueto que formaba con Jorge quedaba disuelto. Jorge, generoso como siempre, se alegró por su amigo, y como sabía que otros artistas mexicanos se encontraban trabajando en Nueva York, entre ellos Chucho Martínez Gil, después de la separación de Armengod decidió ir a verlo para pedirle ayuda.

Chucho Martínez Gil, quien fue hasta la muerte de Jorge un gran amigo, lo recibió con alegría y se ofreció para presentarlo con la señora Mary Shank, esposa del empresario Abe Tubbin, personas muy bien relacionadas y representantes de artistas, en esa ciudad.

Sin pensarlo dos veces, Jorge le habló de inmediato a la señora Shank de su interés por audicionar en el Metropolitan Opera House, pues su más caro anhelo era poder llegar a cantar algún día en ese lugar.

Por entonces era presidente del Consejo del Metropolitan el que fuera famoso cantante Lawrence Tibbet y él personalmente escuchó la audición de Jorge, misma que por supuesto había sido concertada por la señora Shank.

Al terminar la audición, el maestro Tibbet se acercó a Jorge y lo felicitó calurosamente; le dijo que poseía una bella voz y que sería bastante probable que se le incluyera en el elenco del Metropolitan como tenor suplente.

Para cualquier cantante esto hubiera representado una oportunidad dorada; para cualquiera, pero no para Jorge Negrete. La palabra "suplente" fue para él como si le hubieran arrojado un cubo de agua helada. No dijo nada, simplemente se despidió y salió de ahí para siempre.

Cuando volvió a casa de Martínez Gil y éste le preguntó cómo le había ido, Jorge le dijo:

—Mal, muy mal.

—Cómo, ¿por qué?, ¿no estuviste bien en la audición? inquirió su amigo.

—No, por el contrario, me felicitaron, inclusive el Sr. Tibbet me dijo que era probable que me incluyeran en el elenco artístico del Metropolitan, pero como tenor suplente y tú sabes muy bien que yo no soy suplente de nadie.

Jorge siempre fue un hombre muy orgulloso, pero en el mejor sentido de la palabra, así que era de esperarse que no aceptara esa proposición; pero Chucho le dijo:

—Creo que te has precipitado y vas a desperdiciar una magnífica oportunidad para obtener lo que tanto has deseado; créeme que muchos cantantes ahora famosos han empezado así, recapacita y vuelve.

—No, Chucho, yo no. No quiero esperar tal vez años para eso. ¡A mí me urge triunfar ya!

Mientras tanto, Jorge trabajaba en un cabaret latino llamado "Yumurí", ubicado en pleno centro de Manhattan, muy cerca de Times Square. Ahí era maestro de ceremonias y cantante, y fue ahí también donde conoció al famoso compositor cubano Eliseo Grenet, con quién llevaría una estrecha amistad el resto de su vida.

Aceptó también participar en la filmación de un corto musical a colores que fue producido por la Warner Brothers, que se llamó "Noches de Cuba". Esta fue su primera experiencia fílmica.

Pero nada de esto lo satisfacía plenamente. Trabajaba y trabajaba, incansable, en todo lo que podía por dos razones: la primera y principal, obviamente, para ganar el dinero que necesitaba para subsistir, y la segunda porque sabía que de cualquier manera todo lo que hacía le daría experiencia y desenvoltura para el futuro.

Habían pasado ya ocho meses desde que llegara a Nueva York con Ramón Armengod y sentía que no había logrado, ni remotamente, acercarse a la meta que se había planteado.

Faltaban unos meses para que finalizara el año de 1937, cuando Jorge recibe un telegrama de su hermano David, en el que el comunica que el director de cine Ramón Peón, lo quiere contratar para una película en la que, por supuesto, va a llevar el papel protagónico; así que empezaría una carrera cinematográfica desde arriba, llevando el estelar. Jorge acepta con la condición de que en el contrato se incluya un boleto de avión de ida y vuelta, pues está decidido a regresar a Nueva York en cuatro se termine el rodaje de la película.

Viaja a México y filma "La Madrina del Diablo", en la que compartía estelares con Fernanda Ibáñez, hija de la gran actriz

Sara García. Mientras duró la filmación Jorge y Fernanda sostuvieron un breve romance. Tiempo después ella se casó con otra persona y murió muy joven al dar a luz a su primer hijo.

Al terminar la película, como ya lo tenía decidido vuelve a Nueva York y al "Yumurí", donde al menos tiene trabajo seguro y donde canta bellas canciones de corte "fino" que a él tanto le gustaban. Canciones de María Greever, Ricardo Palmerín, Miguel Lerdo de Tejada, y canciones norteamericanas que eran traducidas al español y arregladas musicalmente por él mismo, como "Polvo de Estrellas", "Old Man River" "Begin the Begin", y muchas otras que aunque no eran precisamente trozos operísticos, sí requerían de una bella y bien educada voz para ser interpretadas.

Pero su destino seguía persiguiéndolo, y un buen día se topa en la calle con el productor Jesús Grovas (quien llegaría a ser uno de los más importantes en la industria fílmica mexicana y con quien Jorge haría después muchas de sus mejores películas), y éste le ofrece el papel principal de una película que estaba preparando, que se llamaría "Huapango". A Jorge le interesa la proposición y acepta volver a México.

Sin embargo, por diferentes causas, el rodaje de la película empieza a demorarse y Jorge interviene en un film de homenaje a beneficio del actor Joaquín Busquets, que había perdido la vista. Esta película se llamó "Una Luz en el Camino" y el papel principal estuvo a cargo de Joaquín Pardavé.

Como la filmación de "Huapango" se seguía demorando Jorge aceptó trabajar en "La Valentina", y en la filmación de esta película conocería a una joven actriz y bailarina llamada Elisa Christy, quien dos años después sería su primera esposa y la madre de su única hija, mi queridísima Diana, pero esto será motivo de un capítulo aparte.

En "La Valentina" comparte estelares con Esperanza Bahur, hija de don Pancho Zárraga, padre al mismo tiempo de Beatriz Zárraga una de mis más queridas amigas ya que desde pequeñas fuimos al colegio juntas y no nos dejamos de ver hasta su muerte. Don Pancho era hermano del gran pintor Ángel Zárraga. Después de "La Valentina", Esperanza se fue a probar fortuna a Hollywood y no le fue nada mal pues se casó con el mítico actor John Wayne. A mi vez, yo trabajé con don Pancho Zárraga en los Estudios Azteca en 1942, por lo que tuve también un contacto estrecho con el mundo del cine.

A pesar de que había filmado dos películas seguidas, el pensamiento de Jorge seguía puesto en Nueva York. Se había prometido a sí mismo triunfar allá y no quitaba el dedo del renglón. Pero al terminar "La Valentina", le ofrecen una película "fina" en la que usaría frac y chistera (no la ropa de chinaco de "La Madrina del Diablo" o la burda ropa de revolucionario de "La Valentina"), y cantaría asimismo música "fina" de Gonzalo Curiel y Pepe Guízar, así que pospone el viaje de vuelta a Nueva York y se queda a filmar "Caminos de Ayer", en la que lleva de dama joven a Carmen Hermosillo, actriz popular en aquella época.

Esa película se rodó, en parte, en Guadalajara y hay una anécdota que cuenta que estando filmando en un parque (1938), se encontraba ahí una bellísima joven con su pequeño hijo, al que había llevado a jugar, y que Jorge al verla se acercó a ella y le dijo: "Es usted tan bonita que debería trabajar en el cine", a lo que la joven contestó: "Está usted loco, qué no ve que yo soy una mujer casada?". Dicen que esa mujer se llamaba María Félix.

Al mismo tiempo que todo esto sucedía le ofrecen un contrato para una serie de programas que se trasmitirían a través de la XEW. Esto era también algo que había esperado durante bastante tiempo, pues tener un programa en la "W" daba mucho prestigio y popularidad, y aunque él había cantado esporádicamente en esa estación, éste era un contrato importante; razón por la que sigue posponiendo el viaje a Nueva York.

Así, en julio de 1938, le ofrecen otra película "fina" que se llamaría "Perjura", en la que cantaría bellísimas melodías de principios de siglo, que es cuando se supone que ocurre la historia de los protagonistas, y esto acaba por convencerlo y acepta. Yo creo que ésta fue la más bella de las películas que filmó durante la primera etapa de su carrera.

En esta cuarta película su dama joven fue Marina Tamayo, con quien también tuvo un pequeño romance, pero ella al fin se casaría con Emilio Tuero.

En efecto, la carrera de Jorge se encontraba francamente en ascenso. Los productores lo buscaban y ya tenía cimentada fama de buen cantante, lo cual probaba que la "W" lo hubiera contratado.

Además, como los productores de cine seguían haciéndole buenas ofertas, todavía se quedaría en México para filmar otras películas que hilvanó una tras otra. Estas fueron "El Fanfarrón" y "Juan sin Miedo", películas de tema campirano en las compartió estelares con María Luisa Zea; "Juntos pero no Revueltos", en donde tiene por compañero a un actor argentino que fue bastante famoso, llamado Rafael Falcón, a la bella y popular Susana Guízar y nuevamente a Elisa Christy. Ya para finalizar el año de 1938, protagoniza "El Cementerio de las Águilas", película basada en el acontecimiento histórico de la invasión norteamericana a nuestro país que dio lugar a la gesta heroica de los Niños Héroes, película donde da vida a un cadete del Colegio Militar, que él siempre amó tanto. En esta cinta lleva como compañera a Margarita Mora, con quien años después hará otra película que se llamará "Tierra de Pasiones".

Pero nada de esto satisfacía al inquieto Jorge, eran pequeños buches de agua para un gran sediento; él quería un triunfo en grande, sonado, así que a pesar de esta buena racha y de que su hermano David le insistía en que se quedara, pues estaba claro que aquí en su país tendría todas las posibilidades de triunfar en grande, él no escucha razones y emprende el viaje de vuelta a Nueva York.

Pero antes deberá detenerse en Los Ángeles para firmar un contrato con la 20th Century Fox en Hollywood. Esta empresa había empezado una campaña para contratar artistas latinos famosos que filmaron películas hollywoodenses habladas en español, la mayor parte de ellas de baja calidad.

Cuando por fin llega a Nueva York, es contratado por otro cabaret latino muy afamado entonces, que se llamaba "La Conga". En este lugar trabajaba también como maestro de ceremonias y cantante un cubano que llegaría a ser famosísimo: Desi Arnaz, quien después se casaría con la bella y estupenda comediante Lucille Ball, y juntos llegarían a la cumbre de la popularidad y del éxito económico con su compañía productora "Desilu", que haría una de las primeras y más exitosas series para la televisión mundial: "I Love Lucy".

La estancia de Jorge en Nueva York se prolongaría todavía por un par de años más en los cuales tendría muchos sinsabores y luchas, pero su vida personal tendría un cambio muy importante.

Elisa Christy

En el Teatro Politeama, de gran tradición en México durante los años 30, se iniciaron artísticamente figuras como Pedro Vargas, Agustín Lara, Toña la Negra, las hermanas Águila y muchos, muchos más, que llegarían a ser grandes estrellas del espectáculo tanto en nuestro país como internacionalmente; se presentaban también compañías de revista, una de ellas fue la llamada "Alegría y Enhart", fue bastante popular. De esta compañía eran primeras figuras Lita Enhart y su prima Elisa Christy.

Jorge presenció una función de esa compañía desde una butaca de las primeras filas del teatro, y después de la función fue atrás del escenario para felicitar a los artistas que habían actuado. No fue una visita muy prolongada, él junto con su hermano David saludaron a algunos de los integrantes de la compañía y después se marcharon.

Tiempo después, cuando Jorge se presentó en las oficinas del Sr. Grovas para recoger el libreto de una película que lo compensaría por no haber realizado la película "Huapango", para la que había venido a México, Jorge se encuentra con Elisa y la saluda familiarmente diciéndole:

—Qué gusto verla. ¿No se acuerda de mí?

—Pues no. La verdad no; respondió ella.

—Pero si yo la saludé detrás del escenario en el teatro Politeama.

—No, a mí no. Lo que pasa es que usted me confunde con mi prima Lita Enhart. Las dos bailamos en ese teatro. Pero yo a usted no lo conozco.

—Entonces le pido que me disculpe. Yo creí que también había hablado con usted. Permítame que me presente me llamo Jorge Alberto Negrete Moreno, y ¿qué es lo que la trae por aquí?

El retrato más conocido de la guapa Elisa Christy

—He sido contratada para trabajar en "La Valentina" y estoy aquí para ultimar los detalles del contrato.

—Qué gusto me da, dijo él. Yo estoy aquí por la misma razón. Será muy agradable trabajar juntos.

Pero no fue así. A los pocos días de haber empezado la filmación, en una escena en que los dos participaban, Jorge le hizo algún comentario a la joven respecto de cómo debía hacer su trabajo, ella le contestó molesta que él no era quien debía darle indicaciones sino el director de la película, y eso fue suficiente para que ya no volvieran a dirigirse la palabra por el resto del rodaje.

Sin embargo, Jorge se había quedado "picado" y la guapa joven no se le olvidaba, y como él sabía que ella frecuentaba con sus amigas un restaurante que quedaba cerca del Hotel Regis (que ahora desgraciadamente ya no existe), trató de buscarla ahí en varias ocasiones, pero no pudo encontrarla; pues cuando esto sucedía ella estaba trabajando en el Teatro Ideal (que ya tampoco existe) con las hermanas Blanch, actrices que fueron muy queridas y famosas en México. Elisa trabajaba en una obra que fue de antología que se llamaba "El Baisano Jalil", en ella los actores principales eran Joaquín Pardavé y Sara García. Después esta obra fue llevada también al cine con estos dos grandes artistas y como se esperaba, fue, un éxito enorme.

Intrigado por la desaparición de la bella joven, Jorge hizo algunas averiguaciones hasta que se enteró dónde podría encontrarla. Haciendo acopio de fuerzas, pues no sabía cómo lo recibiría Elisa, decidió ir al teatro a buscarla. Después de la función fue directamente a su camerino y llamó a la puerta.

—¿Quién es?, preguntó la joven.

—Soy yo, Jorge Negrete, dijo él. ¿Puedo pasar?

—Sí, desde luego, contestó ella.

Ante los ojos de incredulidad de Elisa, Jorge dijo:

—No quise dejar pasar la oportunidad de saludarla y felicitarla por esta estupenda obra. Pero no sabía si me recibiría. Me gustaría mucho invitarla a cenar, ¿aceptaría?... para olvidar malos entendidos...

—Claro que sí. Encantada... para olvidar malentendidos... Y así se inició un cortejo amoroso que tendría como muchos otros sus altas y sus bajas.

Jorge estaba verdaderamente entusiasmado con la guapa joven y el tiempo que tenía libre en esa época que fue muy intensa para él, lo pasaba a su lado. Fue la época en que terminaba una película y empezaba otra. Procuraba invitarla a cenar cada vez que le era posible y así fueron conociéndose y conociendo la vida de cada uno.

Elisa le contó cómo desde muy pequeña había trabajado en el teatro, ya que su madre, Elisa Asperó, y el esposo de ella, el gran actor de enorme trayectoria en el teatro y en el cine, Julio Villarreal, formaban parte de la compañía de doña Virginia Fábregas, donde tanto ella como el nieto de doña Virginia, Manolito, hacían los papeles de niños que requerían las obras.

También desde pequeña había tomado clases de baile clásico, pues uno de sus más caros anhelos era llegar a destacar como bailarina de ballet.

Jorge le comentaba sobre todo el gran amor que sentía por sus padres y por su familia toda; de su paso por el Colegio Alemán y después por el Colegio Militar, y de como, casi por casualidad, empezó a tomar clases de canto. De lo difícil que había sido su inicio en la carrera ya como profesional y que al fin parecía que empezaba a mejorar y, desde luego, de su estancia en Nueva York con Armengod y de cuánto le gustaba esa ciudad en la que tenía planeado triunfar.

De repente, Jorge le preguntó:

—¿Te gustaría hacer más películas?

—Sí, claro; respondió la joven. Pero me gusta más el teatro y sobre todo bailar. Me encanta bailar. Y a ti ¿qué te gusta más?, le preguntó a su vez.

—Cantar, dijo Jorge. Nada me gusta tanto como cantar. Como sabes, he filmado algunas películas y además he participado en programas de la "W", pero mi mayor ambición es cantar y triunfar cantando en Nueva York.

—Pero ¿por qué Nueva York? si aquí se te están abriendo las puertas...

—No sé, pero pienso que al triunfar en grande en Nueva York, sí que se te abren las puertas en todas partes.

Y a Jorge, que no le interesaban tanto las películas, empezaron a llegarle una tras otra; pero siempre en cuánto tenía un tiempo libre, lo dedicaba a su familia y a su novia.

En esta cadena le llegó una película que se llamó "Juntos pero no Revueltos", en ella la dama joven era Susana Guízar, pero Jorge le pidió al director, Fernando A. Rivero, que le diera un papel a Elisa (ella por supuesto no lo sabía), para que fuera la dama joven del otro galán, el actor argentino Rafael Falcón. Desgraciadamente, durante el rodaje de esta película, volvió a surgir un conflicto entre Jorge y Elisa y su relación se enfrió.

Para agravar aún más la situación, él hizo dos películas seguidas en las que llevó de dama joven a María Luisa Zea, una mujer muy bella, y empezó a correr el rumor de que Jorge había iniciado un romance con ella, lo cual no era verdad pero contribuyó a deteriorar aún más la situación con Elisa.

Con el noviazgo prácticamente roto, Jorge filma todavía una película más, "El Cementerio de las Aguilas", pero al terminarla, hace maletas y sale nuevamente hacia la Ciudad de los Rascacielos, donde tiene puestas sus esperanzas y donde cree que va a encontrar su destino.

Pero antes tendría que hacer esa parada en Los Ángeles para firmar el contrato con la Fox, mismo que sólo lo haría perder un año sin filmar película alguna.

De Los Ángeles llega a Nueva York a principios de 1939, y lo primero que hacer es ir a buscar a su casa a Chucho Martínez Gil para que lo ponga al corriente de todo lo que había pasado durante su ausencia y, a su vez, para poner él al corriente a Chucho de todo lo que había hecho en México. Su amigo, muy gratamente sorprendido por lo que Jorge le había contado, le dijo:

—Lo ves, Jorge. Tú debes quedarte en México, ahí está tu futuro y, sin duda, en poco tiempo estarías en la cumbre. Tienes madera, agallas y presencia para lograr un triunfo en grande; ¿qué andas haciendo aquí perdiendo el tiempo?

—Eso me dice también mi hermano David; pero créeme, Chucho, yo pienso que si aquí logro triunfar todo lo demás será más fácil. —Y por acá, ¿cómo se han presentado las cosas para los demás artistas mexicanos?

—Bien, bastante bien; habemos algunos trabajando y recientemente estuvo aquí un espectáculo muy bien presentado dirigido por Julio Bracho con música de Tata Nacho. Creo que en México se presentó en Bellas Artes con bastante éxito también. La producción se llama "Upa y Apa", y en ella trabaja Elisa Christy, a quien tú conoces bien. El espectáculo ya terminó el contrato que lo trajo aquí y casi todos sus integrantes regresaron a México; pero Elisa y dos o tres más se quedaron aquí.

Jorge, boquiabierto e incrédulo, dijo:

—¿Elisa está aquí, en Nueva York?

—Sí, aquí está; y no tarda en empezar a trabajar en "El Chico", con Irving Lee y los que se quedaron del "Upa y Apa". ¿Por qué preguntas, quieres verla?

—Sí, Chucho, quiero verla. Claro que quiero verla. No la he olvidado y me gustaría mucho hablar con ella, pues creo que debe estar muy enojada conmigo, pues cuando éramos novios le fueron con chismes de que yo andaba con María Luisa Zea, y eso no es cierto.

—Bueno, pues yo creo que no habrá problemas para verla; sólo vamos a "El Chico" y la saludamos.

Pero el debut en "El Chico" no llegó a concretarse. Se presentaron varios problemas y los acompañantes de la joven se desmoralizaron y decidieron regresar a México. Al quedarse sola, Elisa se fue a vivir con María Luisa López, cantante mexicana que alguna vez formó pareja con Manolita Arreola; el dueto se llamó "Las Cancioneras del Bajío", pero hacía tiempo ya se habían separado y María Luisa más bien se había convertido en representante de artistas; y fue ella la que presentó a Elisa con el famoso coreógrafo cubano Sergio Orta, quien durante muchos años trabajó con artistas mexicanos.

El señor Orta estaba preparando un espectáculo con bailables folklóricos en el cabaret de ambiente latino "Habana Madrid", y de inmediato contrató a Elisa, cuando le fue presentada por su amiga.

El día del debut, Elisa estaba en su camerino preparándose para su presentación, cuando llamaron a la puerta; era un mensajero que le hizo entrega de un ramo de flores. En la tarjeta que acompañaba al ramo sólo estaba escrita una palabra: "Suerte". Ni qué decir que la joven quedó bastante intrigada, pues no podía imaginarse quién era el enamorado anónimo.

Cuando llegó la presentación de su número, Elisa salió al escenario y, como era una estupenda bailarina así como una mujer muy guapa, fue muy bien recibida por el público. Al terminar su número y cuando todavía resonaban los aplausos con que la premió la concurrencia, medio deslumbrada por las luces de los reflectores, entre bambalinas, se topó de frente con Jorge.

La muchacha, asombrada, dijo:

—Jorge, qué gusto. Creí que estabas en Los Ángeles, ¡nunca me imaginé verte aquí!

Jorge, tomando sus manos, dijo:

—Sí, estuve allá. Pero llegué aquí hace un poco más de una semana. Vi el anuncio del espectáculo en el periódico y no me lo quise perder. Estoy muy contento de verte.

—La verdad, yo también tengo mucho gusto de verte. ¿Ya estás trabajando aquí?

—Sí, en el cabaret "La Conga". Pero sólo será por una corta temporada pues tengo un contrato para ir a Cuba. Me ofrecieron interpretar al Conde Danilo en "La Viuda Alegre".

El encuentro entre Elisa y Jorge fue muy agradable. Él, de inmediato, empezó a tratar de reconquistarla. Salieron a cenar juntos en varias ocasiones, después del trabajo de cada uno.

Elisa seguía viviendo en el departamento de su amiga María Luisa, en el que se reunían todos los amigos y pasaban horas inolvidables cantando y recordando la patria un tanto lejana.

El primero en salir hacia Cuba fue Chucho Martínez Gil, quien a los pocos días de su llegada a la isla tenía ya el contrato que la CMQ había hecho para la presentación de Jorge en la radio cubana. Lo envió a su amigo en Nueva York y le pidió que saliera para La Habana a la brevedad posible.

Efectivamente, a los pocos días, Jorge y el maestro Eliseo Grenet se embarcaron rumbo a Cuba en el vapor "La Florida".

Al llegar a la Habana, Jorge buscó de inmediato a Chucho para iniciar su contrato en la radio. No pudieron estar mucho tiempo juntos porque Chucho dejaría la isla en unos pocos días más, pues tenía un contrato para trabajar en Venezuela. Los artistas mexicanos empezaban a internacionalizarse.

Jorge le había prometido a Elisa que en cuanto le fuera posible le enviaría su pasaje y un contrato para que pudiera reunirse con él en La Habana, así lo hizo y cumplió su promesa; pero la estancia en Cuba no fue todo lo exitosa que ellos esperaban. La temporada cantando "La Viuda Alegre" duró unas cuantas semanas; además, Elisa tampoco estaba contenta con lo que estaba haciendo, así que Jorge pidió a la CMQ que rescindiera lo que aún faltaba por cumplir de su contrato, para poder volver a Nueva York.

Elisa tuvo que quedarse en La Habana; él debía adelantarse para buscar donde vivir y volver a trabajar en "La

Conga" para poder enviar dinero a Elisa para sus gastos y su pasaje de vuelta.

En esta ocasión, Jorge decidió volver a Nueva York vía Miami, pero al desembarcar en esa ciudad tuvo una

Dianita a los seis meses con su orgulloso padre

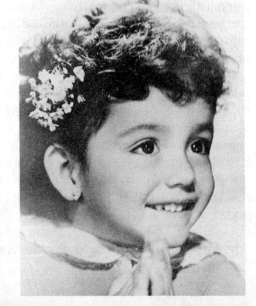

Dianita, niña preciosa a los cuatro años, hija única y adoración de su padre

desagradable sorpresa, pues el Departamento de Migración consideró que sus papeles no estaban en regla. Esto era completamente falso, pues los documentos estaban en perfecto orden; sin embargo lo detuvieron y lo confinaron a un lugar que los gringos llamaban "Latin's Place", donde concentraban a todos los latinos que, según ellos, no tenían sus papeles en regla.

Por supuesto, Jorge protestó con toda la energía de que era capaz y pidió ver al cónsul mexicano en esa ciudad. Finalmente, las autoridades le permitieron salir del "Latin's Place" pero no le devolvieron su pasaporte, pues él no debía salir de la ciudad de Miami; según le informaron, primero debían cerciorarse de que el contrato que tenía para trabajar en Nueva York, era realmente válido y él no iba a representar una carga para el Estado.

Sin embargo, no todo fue negativo durante su estancia en Miami. Ahí encontró a Ramón Reachi, un viejo conocido que manejaba el espectáculo del Royal Palace. Reachi, al ver a Jorge, le mostró gran entusiasmo y afecto y lo contrató de inmediato para que cantara en ese lugar. El sueldo no era gran cosa, sólo $85.00 dólares a la semana, pero era algo.

En cuanto estuvo trabajando, Jorge mandó por Elisa, y casi un mes después de haberse separado, volvían a reunirse. En cuanto ella llegó a Miami empezaron a planear su boda, la cual se efectúo en el City Hall de esa ciudad el 28 de marzo de 1940, siendo testigos de la misma, el cónsul de México, don Guillermo Padre, y su señora esposa.

Jorge Alberto Negrete Moreno tenía 28 años de edad y Elisa Crochet Asperó (Christy), 21 años.

Después de una corta temporada trabajando en el Royal Palms, que era el club nocturno del hotel Royal Palace, Jorge y Elisa decidieron volver a Nueva York, pues el asunto con las autoridades migratorias había quedado resuelto, ya que habían comprobado que el contrato de Jorge para trabajar en "La Conga" era totalmente verídico.

Nuevamente emprendieron el viaje para trabajar en la gran urbe. A las pocas semanas de haber llegado, se le presentó la oportunidad de realizar una gira por otras ciudades como Pittsburgh, Detroit, etc., donde debía presentarse en los clubes nocturnos de la cadena de hoteles Stattler. Mientras, Elisa, al quedarse sola, aceptó volver a trabajar en el Habana Madrid, pues quería reunir la mayor cantidad de dinero que le fuera posible. Sin embargo, al volver Jorge a Nueva York y enterarse de que ella había estado trabajando, provocó que él se enojara seriamente y tuvieran un fuerte disgusto. Él no quería que su joven esposa volviera a trabajar; aunque tenía que aceptar que la situación financiera era bastante precaria.

En esos días conflictivos, Jorge recibe una proposición para cantar en el famosísimo cabaret "Copacabana". Él se entusiasma pues sabe que es muy importante para cualquier artista de cualquier nacionalidad llegar a cantar en ese lugar, así que va a entrevistarse con el señor Monte Prócer, para arreglar los términos del contrato.

El señor Prócer le dice que quiere contratarlo para que cante música de Agustín Lara, naturalmente en español, en especial las canciones que hablan de España y sobre todo Granada. ¡Jorge se sentía feliz!

—Verá, señor Negrete, le dijo Prócer, tengo el propósito de montar un gran espectáculo en el que usted será la estrella. He contratado a un gran coreógrafo y no escatimaré absolutamente nada para que resulte algo brillante. Usted cantará vestido de torero.

—¿De torero? No, señor Prócer, eso jamás. Yo considero que la forma adecuada de presentarme será vestido de etiqueta.

—No señor. Usted canta vestido de torero o no hay contrato.

—Muchas gracias, señor. No hay contrato.

Otra vez las ilusiones se esfumaban. Eran ya dos años de ilusiones seguidas de frustraciones; dos años de lucha compensados con algunos pequeños éxitos y de grandes esfuerzos sin recompensa económica.

Pero como a veces nos sucede a todos nosotros en la vida, de repente se le presentaron dos buenas oportunidad al mismo tiempo:

Desde Miami, su amigo Reachi le ofrece un contrato para presentarse en "La Martinique", empezando con cien dólares a la semana con la opción de hacer el show como él quisiera; es decir, cantar la música que quisiera, vestido como quisiera y, si la temporada iba bien, ¡doblar el sueldo!

Pero... al mismo tiempo...

Desde México, su hermano David le comunica que Producciones Rodríguez le ofrece el estelar de una película que se llamará

"Ay Jalisco no te Rajes". David le informaba, asimismo, que "Perjura" había tenido una muy buena acogida por el público; que su nombre se reconocía ya y que su gran amigo Ernesto Cortázar había convencido a Joselito Rodríguez de que nadie encajaría mejor que él en el personaje de "Salvador Pérez Gómez", eje central de la película.

Jorge no lo podía creer. Pero estaba indeciso. Sabía que en Nueva York su situación no era nada buena, pues el señor Prócer se encargaría de hacerle mala imagen por haberlo plantado, el "Copacabana" era un lugar muy importante como para darle la espalda por un capricho de vestuario. Sin embargo, no quería irse de Estados Unidos, y el contrato de Miami era tentador.

Por otra parte, se le presentaba la oportunidad de volver a su país por la puerta grande, con un estelar en una película, que aunque no le gustaba mucho la idea por ser de "charritos", era producida por gente importante y reconocida en el medio cinematográfico. Entonces, pidió a Elisa que ella decidiera lo que debían hacer. Ella muy sensata, le aconsejó:

—Yo siempre he pensado que tu verdadero éxito lo tendrás en México. Nadie canta como tú y en el género vernáculo creo que tu voz lucirá espléndidamente. Te lo hemos dicho todos, pero tú siempre te has resistido. Comprende que la decisión tiene que ser sólo tuya.

Jorge sabía que ella decía la verdad. Mucha gente, todos su amigos alguna vez le habían dicho que debía cantar la música bravía de México y que debía portar el traje de charro, pero inexplicablemente él se resistía a su destino.

Le dolía mucho no haber logrado las metas que se había planteado para Nueva York, pues su deseo había sido volver a México triunfador. Pero lo que él no sabía era que sólo estaba invirtiendo los acontecimiento, y que él, al final, saldría triunfador de México hacia el mundo.

Elisa lo convenció de que lo mejor era volver a su país. Sin embargo, ella no sabía que estaba sellando también su propio futuro. El volvería a México a triunfar y ella lo perdería.

Durante su estancia en Detroit, Jorge había comprado un automóvil "Buick", y de inmediato empezaron a hacer los preparativos para volver en ese coche, por carretera. Después de varios días de viaje, una madrugada del mes de mayo del año de 1941, llegaron por fin, frente a la casa ubicada en la Av. Coyoacán # 124, en la Colonia del Valle, de la ciudad de México.

Para los padres de Jorge fue una doble sorpresa; volver a ver a su hijo a quien hacia un buen rato que no veían y enterarse de que se había casado. Así llegaban dos moradores más a esa casa ya bastante poblada.

Jorge se reportó de inmediato con Joselito Rodríguez, para conocer más del proyecto sobre la película y, por supuesto, para leer el libreto. A Jorge no le gustó ni la historia, ni la canción, ni nada. Tuvo varias discusiones bastante serias y fuertes con Joselito, pues quería modificar algunas cosas, pero no se lo permitieron. Y como él ya había recibido un adelanto sobre la película, dinero que le permitió afrontar los gastos del viaje de vuelta, pues no le quedó más remedio que aceptar y empezar a filmar la película a regañadientes. Jamás pensó que esta cinta, que resultó encantadora, lo iba a convertir en un ídolo vestido de charro.

Como dato curioso les diré que el padre de Elisa, don Rafael Zubaran, era tío político de mi madre.

Gloria Marín

Por fin, el 18 de julio de 1941, se inició el rodaje de "Ay Jalisco no te Rajes". Por supuesto, no se trataba de ninguna superproducción ni nada por el estilo. Era una película de "charritos", de esas que Jorge tanto despreciara, pero que resultó estupenda, llena de gracia y de alegría, con actores tan simpáticos como Carlos López "Chaflán", Ángel Garaza, Antonio Badú, quién sería amigo de Jorge para toda la vida y con quien filmaría varias películas; el guapote Víctor Manuel Mendoza, que hacía su debut y quien también brilló mucho en coproducciones con Francia y Hollywood; la gran cantante folklórica Lucha Reyes, Evita Muñoz "Chachita", que entonces era una pequeñita de escasos tres años y que estuvo encantadora. La película resultó redonda y fue un gran éxito.

El papel de la dama joven, que en la película se llamaba Carmela, le tocó de rebote a Gloria Marín, pues inicialmente se había planeado que lo interpretara Esther Fernández, que tanto éxito alcanzara con "Allá en el Rancho Grande", pero como ella ya tenía bastante nombre, pidió un sueldo que no se le podía pagar; luego se pensó en Gloria Morell, pero al estar bastante pasadita de peso no daba la edad que se suponía debía tener la heroína del film. Entonces alguien sugirió a la Marín, quien anteriormente sólo había intervenido en dos películas. Una, "La Tía de las Muchachas", con su hermana Lily Marín quien después se casó con Samuel Granat, (hombre rico, propietario de varias salas cinematográficas), y se retiró del cine, y el gran cómico cubano Miguel Herrera, quien a su vez también filmaría después varias películas con Jorge.

La otra película que había interpretado la señorita Marín fue una en la que compartió estelares con Jorge Vélez, un pesadito mal actor que fue popular al principio de los años 30, por su participación en una película que está considerada entre los grandes clásicos del cine mexicano: "La Familia Dresler", de la que fue estrella femenina la bella Consuelo Frank. Parece que la irresistible Gloria tuvo un fugaz idilio con el señor Vélez, quienes varios años más tarde se casaría con la señora Margarita Richardi, viuda del general Maximiliano Ávila Camacho.

Mi tía Carmen Sandoval Paullada, hermana de mi madre, estaba casada en ese entonces (1939-40), con el Dr. Francisco José Dillman, y vivían en la Calle de Patricio Sanz, a espaldas de nuestra casa de la Av. Coyoacán # 43; y tenían unos vecinos que se llamaban Gloria Marín y Fernando Fernández, que entonces vivían juntos. Me consta que en varias ocasiones, tanto Francisco José, como médico, o mi tía (que sabía hacerlo muy bien) fueron a inyectar a los artistas, sus vecinos, cuando andaban mal de salud.

Así que cuando Gloria empezó a trabajar con el señor Negrete llevaba en su cuenta personal, por lo menos tres galanes.

No. 1.- Dicen que muy jovencita se casó con un motociclista de tránsito al que le decían "el rorro", a lo mejor porque era muy guapo. No. 2, el señor Jorge Vélez, y No. 3, el "crooner" Fernando Fernández, quien indudablemente llegó a tener enorme popularidad como cantante, pues como actor aunque hizo muchas películas siempre fue mediocre. Años después, cuando hizo su debut en teatro —que creo que fue debut, beneficio y despedida— fue con la obra "Los Cuervos están de Luto", que produjo la empresa en que yo estaba asociada con Alfonso Arau, y que por coincidencia se estrenó en el teatro "Jorge Negrete", y por la que nos otorgaron muchos premios.

Si el padre de Elisa, curiosamente, era tío de mi mamá, el "padrastro" de Gloria era hermano del que un día sería mi suegro. Cosas así ocurren en la vida.

Pues bien, la mamá de Gloria, una señora llamada Laura, trabajaba en una carpa donde tocaba el piano acompañando a un "artista" que se hacía llamar "El Caballero Robert". El verdadero nombre de esa persona era Joaquín Lavalle Bassó y era hermano de Luis Lavalle Bassó, bella persona que muchos años después sería mi suegro, por ser el padre del Dr. Luis Alfonso Lavalle Paullada, con quien estuve casada durante siete penosos años.

Gloria en una de sus más bellas películas "Carta de Amor"

Jorge y Gloria festejando algún acontecimiento en "El Patio"

"El Caballero Robert" era un hombre muy apuesto y de buena familia, casadísimo, por supuesto, y con varios hijos, pero en ese entonces era el amor de doña Laura, quien tocaba el piano mientras él hacía sus numeritos en el escenario. Unas veces era ventrílocuo con dos muñecos y otras veces era un chino ilusionista, precursor de "Fumanchú". Ni qué decir que la familia del "Caballero" estaba consternada por el hecho de que anduviera de carpero.

Yo no sé el día ni el mes en que nació Gloria, pero sí sé que fue en 1919, cuando trabajaba en la carpa con su mamá y "El Caballero Robert", tenía siete u ocho añitos, quiere decir que esto ocurría en 1927, época en que en el país había mucha turbulencia por la Revolución Delahuertista (encabezada por don Adolfo de la Huerta), y el probable inicio de la guerra Cristera; y los Lavalle, que se habían exiliado en Cuba a raíz de la caída de De la Huerta, acababan de regresar a México sin dinero, quizá esto fue lo que obligó a Joaquín Lavalle a ganarse el pan disfrazado de chino y haciendo hablar a dos muñecos de madera acompañado por los dulces acordes pianísticos de doña Laura.

Gloria, desde muy niña (niña gordita en más de un sentido), empezó a trabajar en la carpa donde lo hacía su mamá, y la llamaban la "Precoz Gloriana". Dizque cantaba y dizque bailaba; y esos años de carpa la formarían para el resto de sus días haciéndola muy ambiciosa y resentida.

Así que para el momento en que se encontró con Jorge para la filmación de la película, ella era ya una mujer con bastante más experiencia de la vida, que le daba diez y las malas a su nuevo compañero, pues Jorge a pesar de ser tan hombrote y tan machote, tomando estas palabras en su mejor sentido, con las damas fue siempre bastante inocentón. Como desde pequeño le enseñaron a respetar a las damas y a tenerles todas las atenciones nunca pensaba mal de ellas, pero lo que no sabía, por inocentón, es que no todas las mujeres son damas.

Lamentablemente para él, a través de los once años que duró su tormentosa relación, ella lo llevó a experimentar un profundo amor, pero también lo hundiría en las más horribles decepciones y depresiones, ya que en varias ocasiones lo traicionó, aunque por supuesto lo negaba. Lo mediocre actriz que era en la pantalla, era convincente en la vida real o quizá era que Jorge prefería creerle sus mentiras. La verdad es que al filmar "Ay Jalisco no te Rajes", él encontró la película que lo convertiría en ídolo y encontraría también a la mujer que indudablemente fue el amor de su vida. Con ella conocería un amor de locura, pero al mismo tiempo horribles abismos de dolor.

Desde el principio de la película Jorge se deslumbró con Gloria, y ella no iba a dejar escapar la oportunidad de aumentar sus trofeos amorosos con el apuesto galán; y así como que sí y como que no, Jorge se fue enredando poco a poco en los encantos de la bella compañera.

Él estaba casado con Elisa, y para su joven esposa no pasaba desapercibido el estado de ánimo de su marido. Empezaron las dificultades entre ellos, y Elisa, que siempre ha sido una mujer de carácter fuerte, tomó la decisión de salirse de la casa de sus suegros para ir a refugiarse con su madre y el esposo de ésta, el gran actor Julio Villarreal.

Quizá ella tomó una decisión apresurada y quizá también si hubiera tenido la paciencia y el hígado para esperar a que a su marido se le pasara el deslumbramiento por Gloria la historia hubiera sido otra; pero Elisa, mujer orgullosa e impetuosa, no escuchó a su suegro que tanto la apreciaba y que le pedía que no se fuera del hogar, y salió dejando el camino libre para que su marido siguiera adelante con una aventura que le costó carísima en muchos sentidos.

Después de terminar "Ay Jalisco", en ese mismo año (1941), Jorge vuelve a filmar al lado de la Marín una película fatal, por lo mala, que se llamó "Seda, Sangre y Sol". Pero aunque esta película fue fatal artística y económicamente, el éxito de "Ay Jalisco" había sido tan grande que este fracaso no importó mucho. Jorge, que abandonó el contrato con el "Copacabana" porque no quiso vestirse de torero para cantar, en esta película se viste de torero para "torear" y no se ve nada bien. Pero la película sirve para que el romance siga viento en popa a toda vela, y Elisa, muy herida y lastimada, pide el divorcio.

Jorge, ya instalado en la cumbre, sigue trabajando sin descanso y en 1942 hace cinco películas. Cinco películas en un año, algo increíble. Con mi entrañable amiga de toda la vida, Janet Alcoriza (para el cine Raquel Rojas), filma "Cuando Viajan las Estrellas"; con Gloria vuelve a trabajar en la bellísima película "Historia de un Gran Amor", ya una superproducción, que ha sido una de las mejores películas de la Epoca de Oro; con María Elena Marqués, que hacía su debut, filma "Así se quiere en Jalisco", su primera película en colores; y al filmar "El Peñón de las Animas" vuelve a encontrarse con María Félix (después de que la viera en Guadalajara cuando él hacía "Caminos de Ayer"), pero como él quería que en esta película también lo acompañara Gloria, hace cortocircuito con la Doña y ambos se pelean sin parar durante todo el rodaje. Por último filma "Tierra de Pasiones" con Margarita Mora, y da un fuerte impulso a la carrera de su querido amigo Pedro Armendáriz, llevándolo junto a él en un estupendo papel co-estelar.

Es hasta 1942 cuando empiezó a trabajar con don Pancho Zárraga (padre de mi amiga Beatriz y de Esperanza Bahur, por lo tanto suegro del mítico actor John Wayne), en los Estudios Azteca, en un negocio de decoración que él tenía junto con Chucho Bracho (escenógrafo de gran prestigio y hermano del gran director Julio Bracho). Chucho era entonces amante de María Douglas, y esta encantadora señora sería unos años después, la gota que derramó el vaso o la que acabó de llenar mi garganta de piedritas, y detonó mi divorcio del Dr. Lavalle.

1942 fue un año importantísimo en la vida de Jorge, "Historia de un Gran Amor" acaba por consolidarlo como primerísima figura del cine nacional y del cine hablado en español, cosa muy positiva. Su esposa se divorcia de él, y llega a su vida un amor muy grande: nace su hija Diana. El 5 de marzo de 1942 nace Dianita y con su llegada parece haber un rayo de esperanza para una reconciliación entre sus padres; pero Gloria estaba firme en el camino.

Al iniciarse 1943 la Marín tiene firmadas ya dos películas en las que nuevamente alternará con Jorge: "El Jorobado o Enríque de Lagardere" y "Una Carta de Amor", exitosas producciones las dos, especialmente la segunda. Cada vez que lo buscaban los productores para hacer una película, él sugería a Gloria como su co-estrella, y éstos, nada tontos, capitalizaban la enorme publicidad en torno a la pareja, que de cualquier manera llevaba adelante su relación.

Todavía en 1943, Jorge vuelve a filmar junto a María Elena Marqués, una simpática comedia de aventuras que se llamó "El Rebelde".

Mucho se ha dicho que Jorge tenía mamitis; pero yo, con todo conocimiento de causa, puedo decir que también tenía papitis, hermanitis y amiguitis. Jorge era un hombre vehemente que cuando quería lo hacía profundamente, con toda generosidad y responsabilidad. Fue el mejor de los hijos, el mejor de los padres, el mejor de los hermanos y el mejor de los amigos. A este respecto baste conocer la profunda amistad que tuvo, hasta su muerte, con muchos de sus compañeros.

Un hombre con esta capacidad de amor, era natural que al encontrar a esta mujer que lo supo manejar, llegara a extremos de los cuales sé, de seguro, que después de arrepintió profundamente.

Mucho se ha dicho también, infundadamente, que Jorge y Gloria no se casaron nunca por culpa de la mamá y de la familia de él. Nada más falso. No es verdad. Si él hubiera querido casarse con ella, nada lo hubiera detenido. Yo creo que si nunca se casó con ella fue porque nunca le tuvo confianza aunque la amara tanto.

Como en esos años de enorme éxito él tenía que viajar constantemente, ella sostenía romances a sus espaldas con diferentes galanes, como fue el caso, muy sonado en la prensa, de Hugo del Carril, con quien filmó la película "El Socio"; y tiempo después con Armando Silvestre. Pero cuando Jorge volvía de sus viajes y le llegaban los rumores y se peleaban, ella lo llevaba a la Basílica de Guadalupe, para jurarle a los pies de la Virgen que todo eran mentiras, calumnias de gente que no la quería y le inventaban esos cuentos.

Por lo mismo, y como es natural, la familia de Jorge, con principios muy diferentes, no aprobaba esa relación. Si Gloria, a pesar de todo, hubiera sido una mujer con otra forma de ser, no hubiera importado, pero la familia tenía oídos y oía los rumores, y tenía ojos y leía las notas en los periódicos. Sin embargo, en una ocasión escuché a doña Emilia decir a su hijo:

—Tú eres un hombre adulto dueño de tu vida, puedes vivirla como quieras; pero a mí, te ruego que no me impongas la presencia de esa persona. ¡No deseo tratarla!, y yo creo que ella tenía su razón.

Pero a pesar de falsos juramentos, de infidelidades de oposiciones y demás, la relación continuaba. Yo pienso que Gloria debe haber sido una mujer bastante tonta para no haber sabido valorar un amor tan profundo como el que Jorge le dedicó. Un hombre generoso, que en lugar de vengarse seguía imponiéndola como su compañera en todas las películas en que le era posible hacerlo, y ella así escalaba peldaños en su carrera. Juntos habrían de filmar, a lo largo de los once años que duró su relación, un total de diez películas.

Yo he conocido casos tanto de hombres como de mujeres que han abusado del gran amor que les profesa su pareja. Es decir, que cuando una de las partes ama profunda e incondicionalmente a la otra, esa otra persona abusa de ese amor, y Gloria cometió esa estupidez. Ella estaba tan segura del amor de Jorge que nunca tuvo escrúpulos y hacía lo que le venía en gana, pues sabía que si él llegaba a enterarse de sus flirteos con tantito que le llorara y pidiera perdón, él se conmovía y todo se olvidaba.

En 1944 se estrenan dos películas de Jorge que fueron de gran éxito. Dos comedias encantadoras, una con la famosa actriz y cantante argentina Amanda Ledesma, que se llamó "Cuando quiere un Mexicano", y la otra, quizá mejor todavía: "Me he de Comer esa Tuna", con María Elena Marqués y sus dos grandes amigos Antonio Badú y Enrique Herrera.

En 1945 vuelve a hacer dos películas con Gloria: "Canaima", estupendo film basado en una novela del escritor venezolano Rómulo Gallegos, donde lleva como dama joven a Charito Granados, y "Hasta que Perdió Jalisco", melodrama campirano sin mayores cualidades. En ese mismo año, él hace otras dos películas: "No basta ser Charro", otra comedia muy simpática con Lilia Michel y "Camino de Sacramento", donde vuelve a llevar como compañera a Charito Granados.

En 1946 vuelve a filmar junto a Gloria una única película, muy ambiciosa y de gran producción con bellos escenarios que resultó bastante bien lograda: "En Tiempos de la Inquisición". Por supuesto, todas estas películas fueron las mejores que ella hizo en su vida; le redituaron un mayor renombre y la oportunidad de exigir mejores salarios.

Él hará en ese mismo año otras dos películas: "El Ahijado de la Muerte" con la cubana Rita Conde, y la única en que lo dirigió Luis Buñuel: "Gran Casino", con la famosa estrella argentina Libertad Lamarque.

En 1947 no filmó película alguna. Desde varios meses atrás había firmado un contrato para cantar por Radio Belgrano la más importante radioemisora argentina, y para presentarse en una obra musical en teatro, y al terminar "Gran Casino" pensó que era el momento de cumplir esos compromisos.

Así, una mañana de principios de febrero, me llamó mi amiga Tere, y me dijo:

—Hoy por la tarde se va Jorge a la Argentina y esta vez sí quiere que lo acompañemos al aeropuerto. Quiere que vengas a comer para que también vayas con nosotros. Te voy a mandar al chofer para que te traiga.

Jorge, sus padres y Tere, se habían cambiado ya a la hermosa casa que él había construido en la esquina de la calle del Angel y Plateros, de la colonia San José Insurgentes.

Efectivamente, Tere mandó al chofer para recogerme en mi casa de Rébsamen. La comida fue de lo más agradable y Jorge estaba muy contento.

Cuando él salía de viaje no permitía que lo fueran a despedir. Le daba mucha tristeza separarse de sus padres, y el único que lo acompañaba era su inseparable hermano David, quien en muchas ocasiones también viajaba con él en sus giras. Pero en esta ocasión, como su ausencia se prolongaría por varios meses, quiso estar con sus seres queridos el mayor tiempo que le fuera posible. Mientras esperábamos la partida del avión, Jorge estuvo bromeando, pero a la hora de irse entristeció y abrazó con fuerza a su padre y lo besó en la frente. Sin duda tuvo un presentimiento; en efecto, era la última vez que lo vería con vida.

La recepción que le brindaron en Buenos Aires fue clamorosa. Lo pasearon en un coche descubierto, que llevaba las banderas de México y Argentina desplegadas sobre el cofre, por las principales calles y avenidas de la ciudad, mismas que se encontraban colmadas de personas que deseaban verlo. La gente lo vitoreaba parada sobre las aceras o desde los balcones de las casas y los edificios.

A las pocas semanas de haber llegado Jorge se le unió Gloria. Juntos interpretarían una comedia musical que sería dirigida por el importante músico argentino Marianito Mores. La obra se llamó "Luna de Miel para Tres", donde también participaba el Trío Calaveras. Fue un éxito tan grande que hubo que prorrogar la temporada. Era imposible dejar de representarla, pues el teatro continuaba con llenos totales.

Pero el tiempo se prolongaba mucho más de lo que en un principio se había planeado y Jorge empezó a sentirse inquieto por tan larga separación de su familia. Su sensibilidad no lo engañaba, su padre, a quien tanto amaba, murió en el mes de julio y no lo volvió a ver jamás. Fue el dolor más grande que tuvo en su vida. Pero como "el espectáculo debe continuar", la compañía tenía que cumplir con su compromiso y así se hizo durante dos meses más, después de la muerte de don David.

El éxito en Argentina fue muy grande para él, tanto en lo artístico como en lo personal.

Juan Domingo Perón era entonces el presidente de la República Argentina, y tanto él como su esposa Evita tuvieron grandes muestras de simpatía y aprecio para el cantante mexicano.

El mes de septiembre los sorprendió todavía en Buenos Aires y como también se encontraban por allá otros famosos artistas mexicanos como Arturo de Córdova (que filmaba "Que Dios se lo Pague" con Zully Moreno), Pedro Vargas, Juan Arivizu y otros, la Embajada de nuestro país organizó una gran recepción para celebrar la fecha de nuestra Independencia. Don Octavio Reyes Spíndola, tío de mi muy querida amiga Martha, madre a su vez de nuestra gran actriz Patricia Reyes Spíndola, era el Embajador de México ante el gobierno argentino, y él solicitó permiso de las autoridades para celebrar las fiestas por nuestra Independencia en el Parque del Retiro, las que naturalmente resultaron brillantísimas. Además del grupo de artistas mexicanos, estuvieron presentes numerosos artistas argentinos, así como los embajadores de muchos otros países. Por supuesto, esa noche Jorge interpretó el Himno Nacional de nuestro país.

Esos meses vividos en Argentina, creo yo, fueron el lapso más largo y más afortunado que tuvieron juntos Jorge y Gloria; esto a pesar del dolor que le causó a él la muerte de su amado padre.

Después de volver a México, y ya en 1948, Jorge filma una nueva versión a colores de "Allá en el Rancho Grande", que tanto éxito tuviera en 1936 con Tito Guizar y Esther Fernández. La dama joven fue la bella Lilia del Valle. Pero también vuelve a trabajar con Gloria en una película sobre la Revolución, que se llamó "Si Adelita se fuera con Otro".

En ese año de 1948 tiene que cumplir con importantes contratos para trabajar en España. Allá tendrá que hacer una película con la popular y bella actriz española Carmen Sevilla; esta será una comedia muy simpática: "Jalisco canta en Sevilla".

La llegada de Jorge a Madrid fue verdaderamente de apoteosis; miles de personas esperaban para recibirlo en la Estación Central de Madrid. El llegaba por ferrocarril desde París, y esa multitud lo acompañó hasta el Hotel Emperador, donde se hospedó.

En esta ocasión se hizo acompañar también por doña Emilia y sus hermanos Tere y David; ellos habían salido para Europa en abril de 1948, antes de que él terminara de filmar "Si Adelita se fuera con Otro". Desde hacia tiempo él deseaba dar a su madre y a Tere, el gusto de viajar por el Viejo Continente, y pensó que en ese momento el viaje serviría para alegrar un poco el atribulado corazón de su madre.

Jorge tendría que estar una larga temporada en España, pues además de la película tendría que hacer varias "galas" en las principales ciudades de la Madre Patria, y mientras él trabajaba doña Emilia y Tere podrían viajar por el país, para conocerlo mejor.

Sin embargo, al poco tiempo de la llegada de Jorge a Madrid, llegó también Gloria Marín para reunirse con él, pues le había prometido que estarían juntos allá.

Antes de volver a México, Jorge firma un contrato con Cesáreo González, por entonces el productor de películas más importante en España, para filmar una cinta muy ambiciosa para su compañía. La película será "Teatro Apolo", la que para mí (y muchos más), es la película más bella de todas las que hizo.

En 1949 siguieron los viajes. Al inicio de ese año Jorge llega a Nueva York abordo del "Queen Elizabeht", a su regreso de Europa y en esa ciudad esperaría a que Gloria se reuniera con él nuevamente. Jesús Montalbán, hermano del popular actor Ricardo, del mismo apellido, quien siempre fue promotor de espectáculos, tenía ya firmados varios contratos para que Jorge se presentara en diversos escenarios ahí en la Ciudad de los Rascacielos, donde años atrás había soñado triunfar. Ahora se realizaba el sueño, pues sus presentaciones en la Urbe de Hierro fueron siempre muy exitosas.

Sin embargo, 1949 fue un año tormentoso en lo sentimental para la pareja Negrete-Marín.

Jorge, además de presentarse en Nueva York también debería hacerlo en San Antonio, Texas, y Gloria debe regresar a México antes que él.

En este año es indudable que empieza el principio del fin del romance. Ella se involucra sentimentalmente con Armando Silvestre, con quien filma una película titulada "Rincón Brujo", y cuando Jorge regresa se entera de los "flirteos" de su compañera y hay una ruptura.

Además, en ese año no filman juntos como había venido sucediendo. Jorge filma dos películas, pero sin ella. Con Elsa Aguirre participa en "Lluvia Roja", y él, a su vez, inicia una relación sentimental con ella. Relación que por supuesto no dura más que unos cuantos meses, porque Gloria, que sí se permite sus devaneos, a él no se los permite, y hace el chantaje de dizque cortarse las venas, y el otro vuelve a caer rendido ante esta prueba de amor, y la relación, aunque muy maltrecha, se reanuda.

Jorge filma después "La Posesión", con mi bellísima amiga Miroslava, y para fines de ese año se toma unas cortas vacaciones en San José Purúa con su familia, pues está cansado física y moralmente, ya que ese fue también un año de intensa lucha sindical. Además, debía empezar a preparar todo lo necesario para su viaje a España, para hacer allá la película que había dejado firmada con Cesáreo González.

Jorge parte solo a España, pero pronto llama a Gloria para que se reúna con él y ella se queda hasta que él termina el rodaje de "Teatro Apolo" y regresan juntos, esto ya en 1950.

A pesar de que Jorge procuraba tenerla cerca de él siempre que le era posible, la relación estaba ya seriamente dañada. La verdad es que tenía por ella una incomprensible obsesión, pero a pesar de tanto amarla habían sido demasiadas decepciones. Hay malas lenguas que dicen (y yo lo creo pues conozco a algunas personas que son así) que Gloria era muy dada a ver y consultar brujos, y estos quizá le funcionaban pues, sinceramente, él parecía estar embrujado, sólo así se entiende un amor que era casi anormal.

En 1950, después de terminar "Teatro Apolo", Jorge filma con Gloria una película dirigida por Emilio Fernández, que resultó fallida y que se llamó "Siempre Tuya", título que ya no tenía mucho que ver con la realidad; y posteriormente hizo con ella la que sería su última película juntos: "Un Gallo en Corral Ajeno", que aunque no resultó mala, tampoco tuvo la calidad de otras que hicieron en años anteriores.

Sólo faltaban unos cuantos meses para el doloroso rompimiento total. Doloroso, sumamente doloroso para él, ya que Gloria empezaría abiertamente un romance con Abel Salazar, mismo que surgiría de una película que filmaría con él, producida por el hermano de Jorge, David Negrete, para la compañía "Cinematográfica Tele-Voz".

Tele-Voz

Para fines de 1950, me llamó mi querida amiga Tere; casadas las dos, ya no nos veíamos con tanta frecuencia, pero claro que sí nos comunicábamos continuamente, por lo que sabía que yo seguía trabajando, y por esta razón me dijo que Jorge acababa de formar una compañía productora de películas en la que necesitaba gente de confianza a su lado.

En ese momento yo estaba trabajando en otra empresa pero me encantaba la posibilidad de trabajar junto a Jorge, así que acepté ir a las oficinas de esa compañía, que estaban ubicadas en el Paseo de la Reforma, muy cerca de la estatua de Cuauhtémoc. Todavía la compañía no empezaba a trabajar formalmente, apenas estaban terminando de instalar y de acondicionar la bella casona porfiriana (que ya no existe) donde quedarían instaladas las oficinas de "Cinematografía Tele-Voz". En esa empresa eran socios de Jorge, el Lic. Miguel Alemán Velasco, que era entonces un jovencito de 20 años, el productor José Luis Celis y, por supuesto, su hermano David.

El día que fui a esas bellas oficinas, sólo estaba el Sr. Celis, con quien me entrevisté y quedé contratada de inmediato. Tengo muchas cosas que agradecer a la vida, pero una de las principales es el haber podido estar tan cerca de Jorge esos tres últimos años de su vida.

Creo que a esa compañía se le bautizó con el nombre de "Cinematográfica Tele-Voz", por el hecho de que el Lic. Alemán Velasco había fundado ya una revista llamada "Voz", cuyas oficinas estaban ubicadas en los pisos más altos del viejo edificio de la Lotería Nacional, donde trabajaba con él mi inolvidable amiga la Chata Heredia, muerta prematuramente en trágico accidente. Como esta nueva compañía iba a dedicarse a la realización de películas y de cortos para la televisión, el nombre indicaba claramente su futuro cometido.

A mí realmente me entusiasmaba muchísimo trabajar en esa empresa. El cine ha sido siempre algo que me ha fascinado desde todo punto de vista; o sea, tanto desde la producción que es algo casi mágico, hasta la proyección que completa ese círculo que nos lleva a vivir miles de experiencias llenas de encanto.

Y el tiempo que estuve en Tele-Voz, estuvo realmente lleno de hechizo. Para el cine se hicieron películas extraordinarias como "Dos Tipos de Cuidado", en la que alternó con Pedro Infante (del que hablaré largo y tendido más adelante). En esta película me tocó participar desde la lectura del libreto. Jorge fue tan lindo que me invitó a la lectura que se efectuó en la casa de Ismael Rodríguez (cuando vivía en Presidente Mazarik, en Polanco) y a la que sólo asistimos Jorge, Ismael, Carlos Orellana (autor del guión) y yo. Todos sabemos que la película fue estupenda y un gran éxito.

"Cuando levanta la Niebla" fue una superproducción dirigida por Emilio Fernández, con Arturo de Córdova y María Elena Marqués, con quien desde entonces guardo una agradable amistad. "Tal para Cual", con Jorge y Luis Aguilar, simpatiquísima comedia, otra vez con María Elena Marqués y Rosa de Castilla.

Jorge tenía el compromiso de realizar una película con Mier y Brooks: "Los Tres Alegres Compadres", graciosísima comedia con su amigo de siempre Pedro Armendáriz y el gran actor Andrés Soler, con quien tantas películas hizo durante su carrera. La dama joven fue Rebeca Iturbide.

Para la televisión de Estados Unidos se hicieron dos cortos de primerísima calidad con la famosísima estrella norteamericana Gloria Swanson y los actores Philip Terry (uno de los maridos de Joan Crawford, mi estrella más querida y admirada) y Charles Korvin, guapísimo actor de origen húngaro con el que quizá pude haberme casado. Posteriormente esto quizá hubiera podido ser, pero en aquel entonces ni siquiera cruzó por mi mente.

Quien disfrutó enormemente la presencia de la señora Swanson fue mi padre. Ella había sido, allá por los años 20, la estrella adorada por él, así que cuando se le dio un coctel de bienvenida en las oficinas de Tele-Voz, el compartir con ella fue algo que lo llenó de gozo otoñal.

La señora Marín visitaba con mucha frecuencia las oficinas de Tele-Voz; tanto porque a veces iba a recoger a Jorge para ir juntos a comer, así como porque también iba en calidad de posible intérprete de alguna de las películas que se proyectaba realizar. Gloria siempre llegaba en plan de "aquí está la dueña del circo", altanera y prepotente, casi no se dignaba hablar con ninguno de los empleados (ni masculinos ni femeninos) y a todos nos caía bastante pesadita.

En Tele-Voz yo trabajaba de "todista", pues lo mismo hacía un lavado que un planchado; es decir, tanto hacía trabajos administrativos como me daba mis vueltas por los Estudios cuando se estaba filmando alguna de las películas de la compañía, para ver si no hacía falta algo. Era una especie de comodín y a mí me encantaba.

Por ejemplo, cuando se contrató a Charles Korvin para trabajar en los cortos con Gloria Swanson, él había renunciando a su ciudadanía húngara, pero todavía no le daban la ciudadanía norteamericana, así que el buen hombre era un apátrida y no tenía pasaporte para poder viajar a México a trabajar, y como la filmación ya se había retrasado mucho (algo muy costoso), le rogamos al Cónsul de México en Los Ángeles que buscara la forma de resolver este problema y la solución fue la siguiente:

—Mire Carmelita, me dijo el Cónsul por teléfono; yo personalmente depositaré al Sr. Korvin en un avión de la línea Mexicana de Aviación (que oficialmente es territorio mexicano) y un representante de la Secretaría de Gobernación tendrá que ir a recibirlo a la puerta del avión en el aeropuerto de la ciudad de México y él quedará bajo la custodia de USTED todo el tiempo que este señor se encuentre en suelo mexicano.

Creo que todo esto fue posible porque entonces era Presidente de la República el Lic. Miguel Alemán, padre del socio más joven de Tele-Voz. De cualquier manera, para mí fue un trabajo encantador ser la guardiana de uno de los hombres más guapos que he visto en mi vida.

Además de todo esto, Jorge me mandaba a la ANDA para traerle (cuando él estaba muy ocupado y no podía ir personalmente) papeles importantes que debía conocer o que debía firmar, y de esta manera empecé también a familiarizarme con su oficina de la Asociación Nacional de Actores, donde al fin me quedaría con él hasta su muerte.

Gloria, que siempre resintió que Elisa tuviera un as en la mano, carta que ella no podía igualar, esto es, que Elisa tuviera una hija de Jorge, empezó a maquinar el tener ella también un bebé. Pero como sabía que para ella era imposible la maternidad, comenzó a buscar la posibilidad de encontrar a una pequeña que pudiera adoptar.

Mientras, fue preparando el terreno y habló con los periodistas acerca de su próxima maternidad. Con ello hacía pensar que estaba embarazada y que en un lapso normal daría a luz.

No creo que esto fuera justificable desde ningún punto de vista. Era una más de las cosas dolorosas que ella estaba acostumbrada a hacer. Como prueba de esto, existe un reportaje que apareció en una revista muy prestigiada de esa época que se llamaba "Cinema Reporter"; en dicho reportaje, que se tituló "Gloria Marín y el Vía Crucis de la Maternidad", se incluían fotografías en las que se le veía con vestido de maternidad, con una blusa blanca con lunares negros. La panza, por supuesto, era un cojín. En el reportaje se hablaba de todos los problemas que le estaba provocando su embarazo (?), y de que se iría a Cuernavaca a tomar un descanso para prepararse para la llegada del bebé.

Un sacerdote de la iglesia que está sobre lo que era la Calzada de Tacubaya, le había ofrecido en adopción un bebé que iba a tener una joven de "sociedad" que no podía conservarlo (fue una niñita), y mientras tanto se iba preparando todo el papeleo legal para la adopción, mismo que me consta que realizó el Lic. Echenique, uno de los abogados de la Asociación Nacional de Actores.

Posteriormente, y debido a que éramos muchas las personas que estábamos al tanto de esta adopción, ésta ya no pudo ser negada y se aceptó abiertamente; principalmente por que la adopción fue hecha únicamente por Gloria. Después corrió un rumor totalmente falso, en el sentido de que esa pequeña era hija natural de Jorge y que Gloria había querido hacerse cargo de ella. Eso es una gran mentira. Él adoraba a los niños y hubiera deseado tener otros, además de Dianita. Si esa pequeña hubiera sido suya, nada en el mundo le hubiera impedido tenerla consigo.

Cuando Diana iba a cumplir dos años, recuerdo que Jorge me dijo:

—Acompáñame a escoger el regalo para mi hijita. Quiero comprarle un vestido muy bonito para su fiesta.

En esa época había en la Av. Insurgentes, casi esquina con Coahuila (ya no existe) una tienda que vendía ropita española para niños. Era un lugar exclusivo y muy caro. Jorge escogió un vestido de lana escocesa a cuadros rojos que constaba de faldita tableada y saquito, con una blusita bellísima toda deshilada y bordada, que costó dos mil quinientos de aquellos pesos. Para dar una idea de lo que esto significaba baste decir que un sueldo normal para un empleado era de quinientos pesos.

Cuando subimos al coche para regresar a la casa, dije a Jorge:

—Como que el vestidito es bastante caro ¿no?, y él me contestó:

—El día que Diana me pida el sol y yo no se lo pueda dar, va a ser un día muy triste para mí.

En realidad, lo que él quería decir con esto era que para él iba a ser muy triste el que algún día no pudiera satisfacer a su hija en algo que fuera importante para ella.

A todos sus sobrinos los quiso muchísimo, especialmente a los hijos de David. Como ya dije, él hubiera sido muy dichoso si hubiera podido tener varios hijos. Había vivido dentro de una familia numerosa y siempre deseó tener una para sí.

Jorge y David fueron siempre inseparables, y éste produjo muchas de sus películas aún antes de que se fundara Tele-Voz; por lo tanto, y como además era accionista de esta compañía, produjo una buena parte de las películas que hizo esa empresa.

Una de esas películas fue la que estelarizaron Gloria y Abel: "Hay un niño en su futuro", que resultó malísima, pero que fue con la que se inició la relación entre ellos. El director de esa película fue Fernando Cortés. Él y su esposa Mapy fueron amigos entrañables de Jorge y de Elisa; inclusive fueron padrinos de Diana. Ellos nunca dejaron de ver y de apreciar a Elisa, aun después de la muerte de Jorge.

Pues bien, al percatarse Fernando de los flirteos entre Gloria y Abel, tuvo un gran disgusto y no quiso ser partícipe en este juego desleal y puso a Jorge al tanto de lo que estaba ocurriendo.

Pero como él ya sabía que ella negaba siempre este tipo de situaciones, anunció que tendría que hacer un viaje inesperado (cosa que por supuesto no era cierta), y se presentó por la noche, intempestivamente, en casa de la Marín sorprendiendola en compañía de su "galán". Ahora si ya no había forma de que pudiera negar nada, y Jorge le dijo:

—A pesar de todas las cosas que llegué a escuchar sobre ti, por encima de todo y de todos, lo único que creí era lo que tú me decías; jamás pude creer que pudieras tener una conducta así. Pero quédate tranquila que no volverás a verme jamás.

Por supuesto, antes de salir de la casa echó con cajas destempladas al pálido y acobardado "galán".

Sin embargo, este incidente fue terrible para él. Tan terrible y tan doloroso que le provocó una hepatitis que desgraciadamente no se atendió como era debido y que fue la causa de la posterior cirrosis y su prematura muerte.

Al poco tiempo de este penoso incidente, y habiendo quedado —ahora sí para siempre— rota la relación entre ellos, Gloria se casó con Abel y vivió una vida de infierno.

Existen confesiones muy dolorosas que la hija de Gloria le hizo a su amiga y compañera de internado Claudia de Icaza, que esta última consigna en la página 192 del libro "Jorge y Gloria" de Editorial Edamex que escribió sobre Gloria; algunas de las cuales citaré textualmente:

"Mi madre sufrió mucho, pues el señor (Abel) era un coscolino que a pesar de estar casado con mi madre andaba con otras dos mujeres..."

"...creo que interiormente lo soportaba porque se sentía culpable de haber dejado a un señor como Negrete por Abel... siento que fue como un autocastigo..."

"No olvido una ocasión en que estando los tres en Acapulco empezaron a discutir... y él la golpeó muy fuerte..."

"...en otro de sus pleitos se puso frenético y le gritó mientras abría la puerta de la casa: "Lárgate de aquí con tu pinche niñita. A mí no me vas a matar como al otro..."

Estas frases, en boca de su hija, no dejan la menor duda sobre la vida que llevó con ese "hombre". En los corrillos cinematográficos se comentaba sobre este *affair* que ella había "cambiado cebada por cagada".

Cuando Jorge ya estaba casado con María Félix, y después de "Hay un niño en su Futuro", Tele-Voz produjo para beneficio de PECIME, una estupenda película que se tituló "Reportaje"; en ella intervinieron sin cobrar un solo centavo la mayoría de los artistas más famosos de esa época como: Arturo de Córdova, Dolores del Río, María Félix, Pedro Armendáriz, María Elena Marqués, Roberto Cañedo, Pedro Infante, Carmen Sevilla, Joaquín Pardavé y, por supuesto, Jorge, con otros muchos, muchos más. La película se estrenó en el Cine Chapultepec en una Premiere llena de glamour al estilo Hollywood, a la que asistieron docenas de estrellas, hasta Lupita Tovar vino de Los Ángeles para este acontecimiento.

Como María estaba en París filmando "La Bella Otero" Jorge, que salió del hospital donde había estado internado para asistir a la Premiere, me pidió que lo acompañara, y por supuesto yo acepté encantada. El estreno de Reportaje, se efectuó en el Cine Chapultepec el 12 de noviembre de 1953. Como yo sabía que también iría con nosotros su hermano David, invité a mi hermana Edelmira para que también nos acompañara.

Al llegar al cine nos encontramos con Ismael Rodríguez, quien iba solo, pues su esposa estaba indispuesta, así que él también se unió a nuestro pequeño grupo.

El evento resultó de primera y todos estábamos muy contentos, especialmente Jorge, que parecía estar feliz con el éxito que se había logrado, ya que, como antes menciono, lo que recaudara la película sería en beneficio de PECIME.

Al salir de la sala de proyección, y mientras nos encaminábamos por el atiborrado hall del cine hacia las puertas de salida a la calle, un periodista radiofónico se aceró a Jorge para entrevistarlo. Pero como la gente se arremolinaba alrededor de nosotros, él se colocó detrás de mí para protegerme, quedando el periodista totalmente frente a mí, así que la entrevista fue hecha por encima de mi hombro.

—¿Ya está usted completamente recuperado?, preguntó el entrevistador.

—Sí, contestó Jorge. Mi salud está mucho mejor.

—¿Y qué planes tiene para el futuro?

—Mañana salgo para Los Ángeles a cumplir un contrato que hace tiempo tengo firmado con Frank Fouce para presentarme en el teatro "Million Dollars".

—Y de proyectos para películas, ¿hay algunos en puerta?

—Bueno, pronto se estrenará "El Rapto", película que

terminé recientemente al lado de mi esposa María Félix, y por supuesto hay un par de libretos que estudiaré cuando regrese. ¡Gracias y hasta pronto!

Como pudimos, medio apachurrados, llegamos por fin a la calle donde ya nos esperaban David, Edelmira e Ismael. Este último acompañó a Jorge a traer el coche que estaba en el estacionamiento, y yo aproveché para preguntar a David:

—¿Es verdad que los médicos ya dieron de alta a Jorge? ¿Está realmente recuperado?, te pregunto porque eso le dijo al tipo ése que lo estuvo entrevistando.

Entonces David, con una cara sombría me contestó:

—Jorge ya no tiene remedio. Por eso los médicos lo dejaron salir del hospital, para que haga lo que quiera. Lo mismo puede vivir dos semanas que dos meses, depende de su organismo. No tarda en morir.

Yo no podía dar crédito a mis oídos. Tanto mi hermana como yo debemos haber tenido las caras totalmente descompuestas pues David, con voz enérgica, nos dijo:

—¡Contrólense que ahí viene ya!

Esa noche no pude pegar los ojos y lloré como pocas veces lo he hecho en mi vida.

No fueron ni dos semanas ni dos meses, Jorge vivió cuatro semanas y dos días más, después de esa noche.

La ANDA

Desde que comence a trabajar con Jorge en "Tele-Voz", empecé también a tener contacto con la ANDA, pues él era el Secretario General de esa Asociación.

Al cabo de un año, o quizá año y medio, me fui definitivamente a trabajar a la ANDA. Creo que ahí le era yo más útil a Jorge que en "Tele-Voz", así que me quedé trabajando ya de tiempo completo y permanentemente en sus oficinas del sindicato.

Mi trabajo ahí fue verdaderamente interesante y un verdadero privilegio conocer de cerca el trabajo que desarrolló dentro de la Asociación Nacional de Actores, la que estoy segura fue uno de sus más grandes amores; amor al que sin duda se entregó con enorme pasión.

Desde tiempo atrás los actores habían estado intentando agruparse para tener algo de fuerza frente a los empresarios y, según tengo entendido fue a fines de los años 20 (quizá 1927 ó 1928), cuando se creó una asociación de actores de teatro que se llamó Unión Mexicana de Actores. Pero con la importancia que estaba cobrando la industria cinematográfica, en 1934 nace la Asociación Nacional de Actores de la que es primer Secretario General don Fernando Soler (1934-1936). El segundo Secretario General fue don Angel T. Sala (1936-1938), quien logró atraer a la asociación a otros trabajadores importantes para la producción de espectáculos, como tramoyistas, electricistas, escenógrafos, etc., por lo que el sindicato iba cobrando mayor importancia.

El tercer Secretario General fue el actor Jorge Mondragón (1930-1941), quien logró una unificación más amplia entre todos los artistas de la República. El sindicato se iba fortaleciendo cada vez más fue entonces que se inició la unión de varios sindicatos en uno solo. Éste fue el STIC (Sindicato de Trabajadores de la Industria Cinematográfica), pero desgraciadamente cayó en manos de "sindicalistas" vivales y abusadores que lograron hacer del STIC un sindicato poderoso pero que mangoneaba a su antojo las cuotas de los agremiados. El descontento por parte de todos los trabajadores empezaba a germinar.

El cuarto Secretario General, ya de la Sección 7 de Actores, fue Mario Moreno "Cantinflas" (1942-1944), quien llevó a cabo la construcción de una casa para actores retirados, de los que llegan a la vejez sin dinero y sin protección. A ese lugar se le conoce hasta ahora como "Casa del Actor" y en ella han encontrado centenares de actores viejos un techo bajo el cual cobijarse y los cuidados necesarios en la fase final de sus vidas.

Es en esta época cuando empieza a tomar forma la inconformidad de los actores en contra del STIC y cuando empieza a gestarse la idea de separarse para formar otro sindicato que posteriormente sería el STPC de RM (Sindicato de Trabajadores de la Producción Cinematográfica de la República Mexicana).

El quinto Secretario General fue Jorge Negrete (1944-1947), quien desde años atrás había empezado a luchar con denuedo por la separación de los actores del STIC, y continuó la lucha por la separación en serio.

Al terminar Jorge su primera gestión en la ANDA es electo sexto Secretario General Julián Soler (1947-1949), período que fue bastante tranquilo y al término del cual, al celebrarse nuevamente elecciones para renovar a los directivos de la Asociación, Jorge es electo nuevamente para un segundo período que duraría hasta su muerte, acaecida el 5 de diciembre de 1953.

Jorge, Mario Moreno, Gabriel Figueroa (que era el Secretario General de la Sección 2, de Técnicos y Manuales), los hermanos, Junco, Tito y Víctor, y varios más habían venido luchando contra Enrique Solís y Salvador Carrillo, los "sindicalistas" vivales y corruptos que habían estado mangoneando el STIC. La lucha se dio frontal y se llegó hasta el uso de las armas para impedir la entrada de los pertenecientes a ese sindicato a los estudios cinematográficos, que entonces eran los Estudios Azteca, Clasa y San Angel-Inn, donde se habían atrincherado los actores-guerreros.

Durante este segundo periodo de Jorge al frente de la ANDA (1949-1953), fue cuando tuve la suerte de trabajar con él, de lo que siempre me he sentido muy orgullosa.

En el año de 1949 Jorge lucha porque se apruebe una ley que dé mejores condiciones de trabajo y mejores salarios a los compositores. Para que obtengan regalías por las películas que incluyan sus musicalizaciones y sus canciones.

Al mismo tiempo presenta también un proyecto para el pago de regalías a los actores, que fue el comienzo de la Ley de Derecho de Intérprete. Hasta el día de hoy, especialmente en la televisión, por ejemplo, los actores reciben por su trabajo un salario por programas o por telenovelas; pero si esos programas o telenovelas se vuelven a exhibir, es decir, si hay una repetición de ellos, los actores tienen derecho a cobrar regalías nuevamente por su trabajo.

Ni qué decir que todas las grandes figuras y todos los actores y trabajadores, importantes y pequeños, de aquella época lo apoyaron y respaldaron en su lucha. Su idea fija era reunir en un sindicato a todos los trabajadores que intervenían en la realización de películas, y lograr el reconocimiento de las autoridades para ese sindicato, y lo logró. Ya lo creo que lo logró; pero, desgraciadamente, después de su muerte la ANDA no ha "andado" muy bien que se diga y ha tenido en ocasiones serios tropiezos.

Él realizó unos estatutos ejemplares. Yo tuve la suerte de entregarle una copia de éstos, en propia mano, al eminente actor francés Gerard Philipe, quien había venido a México a filmar "Los Orgullosos" con su compatriota, la bellísima y excelente actriz Michele Morgan, y en ese momento él era el Secretario General del sindicato de los actores de Francia. Gerard se impresionó tan gratamente con todo lo que la ANDA había conquistado para los artistas mexicanos que deseaba hacer algo similar en su sindicato en Francia.

También se le envió —porque la pidió— una copia de estos estatutos a Hollywood a Ronald Reagan, quien a su vez encabezaba la Union Actors Guild (la Unión de Actores de Norteamérica), donde de hecho empezó su carrera política; ya

Credencial de Jorge de la ANDA la número 1. Alguna vez Mario
Moreno dijo que la # 1 era de él, y mentía

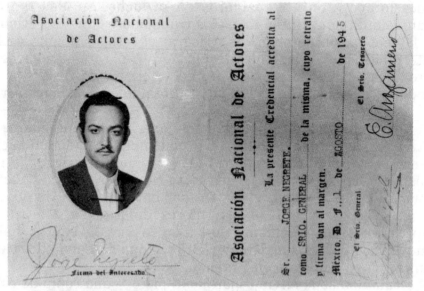

Credencial de Jorge de la ANDA que lo acredita como
Secretario General de la misma

Jorge en diferentes mítines organizados por la ANDA. detrás de él está el "Gordo" Vidal.

En el extremo izquierdo, está Chano Urueta.

Jorge en una ceremonia a favor de la campaña
del Lic. Miguel Alemán

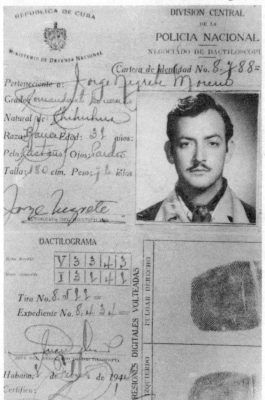

Credencial Honoraria
de Jorge expedida por
el Gobierno de Cuba

*Foto de Jorge tomada en La Habana y que es la que está
en la Sala de Juntas de la ANDA*

que después de esto fue Senador, luego Gobernador de California y al fin Presidente.

Jorge no fue un líder improvisado. Era un líder nato, eso sin duda, pero para llevar a cabo la tarea que se había impuesto se preparó concienzudamente; se metió a estudiar a fondo la Ley Obrera, el Derecho Romano, la Constitución y todo aquello que lo pudiera ayudar a conocer el tema para no cometer errores. Además, cuando al principio de su gestión tenía alguna duda, se asesoraba con el Lic. Antonio Villalobos (padre de mi compañera de escuela Gloria Villalobos), destacado político mexicano quien fue presidente del PRM (ahora PRI).

Después de una de las Asambleas en las que él debatía y explicaba sus propósitos, escuché decir al actor Antonio Bravo, que en varios ocasiones estuvo contra Jorge:

—Este hombre está convertido en todo un sindicalista.

En esta tremenda lucha a la que se entregó con toda su generosidad, Jorge sacrificó gran parte de su carrera. Siempre antepuso su labor sindical a su labor artística. En una ocasión, cuando estaba en España (durante su primer viaje) adonde había ido contratado para hacer múltiples presentaciones por las que se le pagarían cantidades que no se habían pagado antes a ningún otro artista, se presentó aquí en México un problema muy serio en el gremio de los músicos, los que se declararon en huelga, y la radio estaba sufriendo graves consecuencias; ante esta situación, Víctor Junco, que era el Secretario de Trabajo, le mandó un telegrama pidiéndole instrucciones al respecto, y la contestación fue que canceló el resto de su gira tomó el avión y volvió a México en el acto, perdiendo, por supuesto, lo que tenía por ganar en esa gira. Este episodio se repitió innumerables veces y dejó de ganar importantes cantidades de dinero por atender los intereses de su querida Asociación.

En ese período, de 1949-1953, la Mesa Directiva de la ANDA estaba formada de la siguiente manera:

Jorge Negrete, Secretario General;

Rodolfo Landa (Echeverría), Secretario del Interior;

Víctor Junco, Secretario de Trabajo;

Roberto Palacios (el adorable Chino Palacios), Secretario de Conflictos;

Ma. Elena Marqués, Secretaria de Organización y Propaganda;

Armando Velasco, Secretario de Fiscalización y Vigilancia;
José Angel Espinosa "Ferrusquilla", Tesorero;
José Pulido, Oficial Mayor;
Crox Alvarado (mi inolvidable Crox), Vocal A
Francisco Castellanos, Contador

Mi ayudante era un muchacho encantador llamado Arturo Lugo, que en la actualidad vive en el norte del país.

Como este muchacho sabía que a mí me fascinaba Gerard Philipe, cada vez que se encontraba al actor galo por los pasillos de la ANDA, lo abordaba y le decía que tenía que ir a mi oficina para hablar conmigo. Claro, yo inventaba cualquier cosa y esto me daba el pretexto para hablar con él. Gerard era realmente una persona excepcional, bello, dulce, sensible y muy inteligente. Entonces se decía que era el mejor actor del mundo, y aunque es muy difícil hacer una calificación de este tipo, sin duda sí fue uno de los actores más grandes de cuantos hayan existido.

El tiempo que trabajé en la ANDA fue muy placentero para mí, pues además de estar cerca de Jorge, tuve la oportunidad de tratar a grandes actores de diferentes partes del mundo ya que todos los que por alguna razón venían a México, tanto por trabajo como por paseo, visitaban la ANDA debido al prestigio que tenía y que se le reconocía en todas partes.

Ya he dicho que la generosidad de Jorge no conocía límites. Fue generoso en grado superlativo con sus padres y su hija, en primer término, pero lo fue también con sus hermanos, con sus amigos y con todo mundo.

Cuando el papá de Pompín Iglesias ("qué bonita familia, qué bonita familia") estaba muy grave en el hospital, me consta que en varias ocasiones, la que fuera popular artista, Lupe Rivas Cacho, fue a la oficina de Jorge en la ANDA a pedir su ayuda económica para la atención del enfermo. Ayuda que él daba en lo personal, y que ella siempre encontró. Y como el señor Iglesias, fueron muchos los artistas que contaron con la mano amiga y el bolsillo incondicionales y generosos de este hombre, a veces gritón y hosco, pero que tenía un corazón de oro puro.

Para los Días de Reyes, recibía numerosas cartas de niños pertenecientes a familias de pocos recursos, que le pedían juguetes. Entonces yo me iba a varias jugueterías a solicitar presupuestos; él escogía el que le parecía mejor y me daba dinero suficiente para comprar todo lo que los pequeños le pedían.

En esta agradable tarea me acompañaron siempre mi madre y mi asistente y amigo Arturo Lugo. Ellos me ayudaban a escoger los patines, balones, triciclos, etc., que después Arturo iba a entregar, en la camioneta de Jorge, en los hogares de los pequeñines. De esto jamás se publicó nota alguna en la prensa.

Algo que tampoco se publicó en la prensa fue lo siguiente: en una ocasión un terrible ciclón azotó a Cuba, y él se encontraba trabajando en Puerto Rico, una vez más canceló sus presentaciones y se fue de inmediato a La Habana con un cargamento de ropa y medicinas para asistir a los damnificados.

Aurora Walker, la bella y excelente actriz amiga de mi madre, a quién estimé y respeté mucho, me dijo un día:

—Carmela, antes la gente nos llamaba "los cómicos", pero él nos ha dignificado y ahora somos "los actores".

Ese fue su ideal. Dignificar y hacer respetar a la gente del espectáculo, que por su trabajo recibieran retribuciones adecuadas que les permitieran también vivir con dignidad.

Sinceramente, no creo que después de él haya habido o que vuelva a haber un artista que con tal desinterés y tanta pasión defienda a sus compañeros.

Leticia Palma

Dicen, pues eso a mí no me consta, que esta mujer nacida en Tabasco, llegó a la ciudad de México como parte de un espectáculo circense.

Lo que sí me consta es que su carrera en el cine la empezó desde abajo. Poco a poco fue haciendo "bits" y pequeñas partes hasta que llegó a compartir créditos con "galanes" como Fernando Fernández, Ramón Gay y Antonio Badú.

Mi prima Yolanda Ortiz trabajó mucho en el cine durante los años 40 y 50, además de que estuvo casada por más de quince años con el excelente actor Jorge Russek (cuya muerte sentí mucho), y coincidió en el rodaje de varias películas con Leticia. Yo no la traté mucho, pero sí la vi en algunas ocasiones en casa de mis primas. Yolanda empezó a tener una amistad más o menos estrecha con ella, cuando la señora Palma ya había filmado una película en la que se suponía que tenía una enorme cicatriz que le deformaba la cara y que cuando la operan se vuelve "vedette" de cabaret. No recuerdo el nombre del film, pero casi todas las películas de ella fueron malísimas, con la sola excepción de "En la Palma de tu Mano", la cual realizó junto a Arturo de Córdova y Ramón Gay, y que fue una de las muy buenas películas del cine mexicano de los años 50.

En la producción que más tiempo compartió Yolanda con la señora Palma fue en la cinta "Mujeres sin Mañana", en la que también tenían estelares Carmen Montejo, Rebeca Iturbide y la otra señora Palma: Andrea; y fue en esa película donde la amistad de Yolanda y Leticia cobró más cercanía, y por mi prima me enteré de algunos detalles de la vida de esa mujer, que siempre me pareció conflictiva e inestable. Yolanda llegó a apreciarla, quizá con un poco de lástima, pues Leticia, según decía ella misma, había sufrido mucho, pasando por serias privaciones, además del hecho de haber perdido en circunstancias trágicas a una pequeña hija, lo que quizá le causó un serio desequilibrio, pues sólo una persona perturbada podía hacer lo que ella hizo.

Después del éxito de "En la Palma de tu Mano", la señora Palma, con una estructura interior e intelectual prácticamente nula, despegó del suelo y se proyectó a unas alturas de delirio. Pensó que era la diva que México esperaba y todo le pareció poco para ella de ahí en adelante. Sin embargo, tenía un contrato de exclusividad con una compañía que la obligaba por un lapso de varios años a trabajar con ellos. Esta compañía la dio a conocer y fue la que le brindó la oportunidad tan deseada por ella de verse proyectada en una pantalla de cine. Pero alucinada como estaba por la película para la que fue prestada a Filmex (En la Palma de tu Mano), ya no quería aceptar ni las películas que le ofrecía su compañía ni mucho menos el sueldo que ellos le pagaban y que estaba estipulado en su contrato.

Entonces se declaró en rebeldía, y como era natural, la compañía la consignó ante la ANDA, para que no se le permitiera trabajar para otras empresas si no cumplía el contrato que tenía firmado con ellos.

Mientras tanto, ella empezó a hacer declaraciones a diestra y siniestra, tanto a la prensa como a los medios de comunicación, respecto de su carrera y de su vida personal.

Entre las declaraciones que hizo, dijo que había comprado una historia que se llamaba "Santanera"; que según recuerdo era un episodio que ocurría precisamente en Tabasco, y que en esta película que ella iba a producir, compartiría estelares con Jorge Negrete, y que al terminar la película se casaría con él.

Por supuesto, esto era fantasía pura, pues Jorge jamás leyó esa historia, ni mucho menos había aceptado trabajar en un proyecto que sólo existía en la imaginación de Leticia. Simplemente él no sabía absolutamente nada al respecto.

Y este fue el principio del penoso y desagradable incidente que ella provocó con sus mentiras y falsedades, con el cual le causó a Jorge innumerables disgustos y problemas.

Por otra parte, en su delirio paranoico, esta mujer que entonces no tenía preparación de ningún tipo, dijo también que se lanzaría para Secretaria General de la ANDA.

Leticia Palma y Arturo de Córdova en la película
"En la Palma de tu Mano"

Y en un estado mental que me atrevo a calificar como de completa chifladura, llegó a afirmar que por envidia Jorge Negrete había tratado de matarla echándole el coche encima. ¿Se pueden imaginar a un hombre como Jorge esperando en alguna esquina para sorprenderla y tratar de atropellarla? Sin embargo, hubo periodistas igualmente locos (que de verdad los hay) que difundieron la "noticia", la cual, por supuesto, no prosperó y cayó por su propio peso.

Pero esta señora no quitaba el dedo del renglón y estaba decidida a hacerse publicidad a costa del señor Negrete. Así que un día, cerca de las tres de la tarde, que era la hora en que salíamos a comer, súbitamente se escucharon unos gritos muy fuertes en el pasillo que quedaba afuera de las oficinas que ocupábamos el señor Negrete, el Lic. Rodolfo Landa (Echeverría) y yo, así como del recibidor donde se encontraba el joven Arturo Lugo.

Desde su escritorio Jorge me dijo:

—¿Qué escándalo es ese?, por favor, Carmen, ve qué es lo que está pasando.

Arturo Lugo que era quien estaba más cerca de la puerta la abrió, y cuando yo salí al pasillo, me encontré con el señor Armando Velasco (Secretario de Fiscalización y Vigilancia), quien era el que gritaba. Estaba descompuesto, con la cara enrojecida y decía:

—Por favor, señora. ¡No se puede usted llevar esos papeles! Entréguemelos... entréguemelos...

Todo esto sucedió, por supuesto, en unos cuantos segundos. Yo volví la cabeza hacia donde él gritaba y vi por un instante a Leticia Palma que salía corriendo por la puerta principal del hall de la ANDA: Ella llevaba en la cabeza (casi estoy segura de que iba con tubos puestos en el pelo), una pañoleta rosa, la cual, durante la carrera, se le desprendió y quedó tirada en el suelo.

Afortunadamente, además de mi persona, hay varios empleados de la ANDA aún vivos y trabajando ahí, a quienes les consta, como a mí, lo que ocurrió en ese día.

En la puerta del edificio esperaba una camioneta con el motor en marcha (como en los asaltos a los bancos), la que era conducida por un militar, cuyo rango sólo Dios lo sabe. Por entonces se decía que entre los muy "buenos amigos" de la señora Palma, se contaba a un importante general. Sin embargo, lo más probable es que el dichoso general no supiera para qué iba a emplear esta señora a su fiel ayudante.

Todo esto sucedió, repito, en cuestión de segundos.

Cuando yo le pregunté a Armando Velasco, qué era lo que había ocurrido, él me explicó que Leticia había llegado a su oficina solicitando su expediente personal para "estudiarlo". Como ella estaba consignada ante la Asociación por su rebeldía a cumplir con el contrato que tenía firmado con su compañía productora, se le había formado un expediente con los documentos que se habían aportado por una y otra parte, en relación con el caso.

Por supuesto, ella tenía derecho a ver su expediente, así que el señor Velasco se lo entregó, pensando que ella tomaría asiento dentro de la oficina para revisar lo que le interesara.

Pero, para su enorme sorpresa, en cuanto ella tuvo los papeles en sus manos salió corriendo hacia la calle donde la esperaba la camioneta, motor en marcha.

Regresé a mi oficina, entré al despacho de Jorge y le expliqué lo que había pasado. Ni qué decir que él se enojó mucho y me dijo:

—¡No puedo comprender cómo Velasco se ha dejado sorprender de esa manera!

Lo que esa mujer había hecho era sólo una provocación, pues el que se robara su expediente no cambiaba en nada su situación legal y laboral, ya que ésta era bien conocida en todo el ambiente cinematográfico.

En la tarde de ese día, después de comer, me fui con mi marido al Teatro Arbeu a ver el espectáculo del Doctor Alba (extraordinario ilusionista). Al salir del teatro, camino a nuestra casa, en un alto en que tuvimos que detener el coche, casi me da un infarto al ver el encabezado de un periódico de la tarde, que decía "Negrete abofetea a la Palma".

Esta loca mujer, asesorada por el periodista Carlos Estrada Lang, después de robarse su expediente de la ANDA, llama a una conferencia de prensa en su casa y ahí, con absoluta desfachatez y cara dura, miente diciendo a los periodistas que en la ANDA, adonde había ido para hablar con Jorge y pedirle que le levantara el castigo que pesaba sobre ella (cosa que, además, no le hubiera correspondido hacer a él), supuestamente, en un momento dado, él se había puesto furioso y la había golpeado.

Como, por desgracia, Jorge tuvo fama de ser hombre violento, esta infame mentira fue creída por mucha gente, entre ellos Cantinflas. Quizá por aquello de que cree el león que todos son de su condición. Pero Jorge, puedo jurarlo, jamás en su vida le faltó a una mujer, y mucho menos fue capaz de golpearla.

Por supuesto, los periodistas acosaron a Jorge respecto a esta estúpida acusación, y él, en un arranque de sinceridad, como solía hacerlo, dijo a los hombres de la prensa:

—Juro por mis muertos que esa es una horrible calumnia que se me ha levantado.

Al conocer Leticia Palma esta declaración, y siguiendo con su tortuoso juego, a su vez declaró a la prensa:

—Me dan risa los hombres que juran por sus muertos.

Lógicamente, esto hizo sentir terriblemente mal a Jorge. Se

reprochó amargamente haber hecho un juramento tan importante para él, y que esa señora hiciera mofa del mismo.

Desde luego, la inmensa mayoría de sus compañeros sabían que todo este escándalo era una sucia maniobra ideada por esa mujer, sin ninguna calidad moral, sólo para buscar publicidad.

Como en ese momento, de cualquier manera había varios asuntos pendientes, se tomó la decisión de efectuar una Asamblea, en la cual se trataría también este desagradable asunto. La Asamblea se llevó a cabo en el entonces "Teatro Iris" (hoy "Teatro de la Ciudad") y todo lo que ahí se trató se publicó al día siguiente, de manera amplia y detallada en el periódico "Excélsior". Por supuesto todos los diarios hablaron del asunto, pero el que más espacio le otorgó fue el ya mencionado.

Todo esto lo recuerdo como si hubiera ocurrido ayer. La Asamblea dio inicio a las 11 horas y terminó a las 23 hrs. Fueron doce largas, amargas y dolorosas horas, en las que se clavaron varios puñales en la espalda de Jorge. El que más daño le hizo fue, por supuesto, el que le clavó Cantinflas, ya que siempre lo había considerado su amigo, junto a quien había luchado con tanto denuedo por el bien de su agrupación.

Desde el inicio de este escándalo, Mario, que creyó la versión difundida por la señora Palma, se armó caballero para proteger a la ultrajada dama, y el día de la Asamblea llegó de su brazo para "defenderla".

Al inicio de la Asamblea se trataron algunos asuntos administrativos de la Asociación, entre otros, el relacionado con una fuerte cantidad de dinero que aparecía como préstamos a diferentes artistas. Aquí empezaron a aparecer los puñales.

Mario Moreno, a pesar de su gran fama y enorme fortuna, siempre le tuvo celos a Jorge, y aunque ambos habían luchado hombro con hombro por la ANDA, los artistas, en su inmensa mayoría, querían y respetaban incomparablemente más a Jorge.

Así que Mario acechaba cualquier tropiezo que pudiera tener Jorge para capitalizarlo a su favor, y en esta ocasión creyó que se le presentaba esa esperada oportunidad.

Desde el asiento que ocupaba junto a Leticia, pidió la palabra y dijo:

—No se le hace, compañero Negrete; ¿que esa es una cantidad muy grande para préstamos?

Jorge, con voz serena, le contestó:

—Los vales firmados por los compañeros están a su disposición para que pueda verificarlos. Algunos de esos compañeros se encuentran aquí presentes, pero a mí no me corresponde nombrarlos.

En efecto, ahí estaba presentes Pedro Infante y Germán Valdés "Tin Tan", que eran de los que más debían. Ambos fueron muy despilfarradores y antes de empezar una película ya se habían gastado lo que iban a ganar y más. Sin embargo, mi querido Pedro no dijo "esta boca es mía" y Germán también se quedó "mudo".

Jesús Martínez "Palillo", sí se levantó y mencionó la cantidad que adeudaba, que por supuesto era mucho menor a la que adeudaban sus compañeros.

El esposo de María Teresa Montoya, Ricardo Mondragón, mencionó también la suma que se le había prestado para presentar una temporada de teatro en "Bellas Artes". Un proyecto muy ambicioso que requería una fuerte inversión.

Jorge volvió a intervenir y dijo:

—Si el compañero Moreno quiere conocer quiénes son los deudores, nuestro Contador, señor Francisco Castellanos, puede poner a su disposición la documentación correspondiente.

El que Mario pusiera en duda la veracidad de su palabra, hirió profundamente a Jorge, por la velada intención que esto implicaba; asimismo, el que sus otros compañeros callaran cuando debían haber mencionado sus adeudos, fue también una triste decepción.

Al tocarse el asunto de la señora Palma, pidió la palabra una encantadora mujer a quien llamábamos Minina. Esta mujer, en su juventud, trabajó muchos años en la compañía de opereta de Pepita Embil (mamá de Plácido Domingo) ella afortunadamente, todavía vive y estoy segura que recordará a Minina. Posteriormente, trabajó en pequeños papeles en cine y teatro, y en sus últimos años fue Delegada de la ANDA en varios teatros de esta ciudad. Yo tuve la suerte de seguirla tratando por muchos años hasta que se fue a vivir a Guadalajara con uno de sus hijos, hace sólo un par de años.

Minina se levantó de su asiento y dijo:

—Yo no he sido más que una modesta artista que se ha ganado la vida trabajando con entusiasmo en esta carrera, pero no sólo como artista, también como mujer me avergüenza el comportamiento de la "estrella" (recalcó la palabra), a la que voy a preguntarle:

—Díganos, compañera, el día de los hechos de que usted ha hablado tanto; ¿cómo estaba vestido el señor Negrete?, si es verdad que él la agredió tuvieron que estar muy cerca, y si estuvieron muy cerca, usted debe haber visto cómo estaba vestido. Muchas personas Sí lo vimos ese día y sabemos claramente cómo estaba vestido.

La señora Palma, que no lo había visto ni ese día ni ningún otro, creyendo ser muy lista, contestó:

—Llevaba puesto un traje gris.

El Teatro Iris retumbó con la carcajada de todos los presentes, pues muchos Sí lo habíamos visto y él vestía un pantalón de gabardina verde olivo y una chamarra de gabardina también de color kaki, algo que era difícil de olvidar. Por otra

parte, los que no lo habían visto sabían que Jorge casi nunca iba a la ANDA con traje, y menos gris. Yo creo que era un color que no le gustaba, pues en todos los años que lo traté no recuerdo haberlo visto con un traje gris. Lo vi con trajes azul marino, café, beige y varios más en diversos tonos, pero no gris. En el noventa por ciento de las ocasiones, a la ANDA acudía vestido de manera informal, usando alguna de sus innumerables chamarras.

Yolanda Ortiz Sandoval, mi prima, en la película "Mujeres sin Mañana", en la que participó junto a Leticia Palma

En ese momento, Mario Moreno, que estaba pálido como pared encalada, se dio cuenta de la equivocación que había cometido al creer las mentiras que la tipa esa había contado. Sabía que se había puesto en evidencia ante sus compañeros y que su actitud era mezquina y reprobable.

Al quedar más que demostrado el juego de la señora Palma, el actor José Elías Moreno, indignado porque alguien pudiera calumniar de esa manera y quedara impune se levantó y pidió a la Asamblea que se tomara la decisión de expulsar de la Asociación a esa persona por haber sido capaz de algo tan sucio. La Asamblea, por unanimidad, acordó la expulsión. Jorge se opuso a esa decisión y pidió:

—Yo les ruego reflexionar. Me opongo a que se castigue así a una compañera. Recuerden que con esta carrera ella se gana la vida.

En tres ocasiones pidió que no se le expulsara, pero ninguno de los presentes aceptó que se cambiara la decisión que se había tomado.

Después de doce horas, durante las cuales ni siquiera comimos, cuando salimos del Teatro Iris, Jorge estaba más enfermo que nunca, tanto física como moralmente, y aunque casi al finalizar la Asamblea, Mario subió al estrado y abrazó a Jorge disculpándose con él, la herida quedó abierta y nunca cicatrizó. Jorge murió pocos meses después y en ese tiempo nunca volvió a ver a Mario.

De los que fueron mis compañeros en la Anda, viven todavía, afortunadamente, Mercedes Torres Márquez, "Mechita", y Alberto Longoria, nuestro querido "Güero" del conmutador, y aún siguen trabajando ahí; a ellos como a mí nos consta como ocurrieron las cosas ese día en que la señora Palma se robó su expediente, para después hilvanar la cadena de mentiras y calumnias que inventó.

El Sr. Francisco Castellanos, hombre serio y respetable, autor de varios libros, quien afortunadamente también vive todavía, conoce perfectamente este incidente.

Mario Moreno

Antes de irme a trabajar a "Tele-Voz" con Jorge, yo estaba trabajando con Rafael Locken, hijo de María Izaguirre de Ruiz Cortines, y por lo tanto hijastro de don Adolfo, quien entonces era Secretario de Gobernación.

En las oficinas de Rafael conocí a un gringo muy simpático que era profesor en Columbia University (nunca supe en qué era doctorado), y él tenía una idea que me pareció genial, enseñar el idioma Español en esa prestigiada Universidad mediante capítulo filmados del "Quijote".

Como el Dr. Wise sabía que de alguna manera yo estaba relacionada con la industria cinematográfica, me propuso que coordinara el proyecto para la filmación de los capítulos más interesantes de la maravillosa obra de Cervantes. Yo, por supuesto, acepte fascinada.

Por esta razón entré en contacto con Ramón Villarreal entonces Secretario General de la Sección Uno del STIC, a quien competía hacer cortos cinematográficos. Al separarse el STIC y el STPC RM, los largometrajes quedaron a cargo de este último sindicato y los cortometrajes a cargo del primero.

Cuando llegué a "Tele-Voz", el proyecto de los cortos me pareció más factible, pues ésta era una compañía productora que tenía todos los elementos necesarios para la realización de films.

Entre los escritores de planta que había en "Tele-Voz", se encontraba un yucateco llamado Víctor (no recuerdo su apellido), él era un hombre sumamente culto y era también quien se haría cargo de escribir los guiones para los cortos. Era un hermoso proyecto, que sin embargo, tropezó con muchas dificultades y al final, desgraciadamente, no se materializó.

Pero yo trabajé fuerte en el mismo, esto se prolongó por muchos meses, pues yo no quería dejarlo morir y luché todo lo que me fue posible por mantenerlo con vida.

Un día, al poco tiempo de haber muerto Jorge, fui a la oficina de Ramón Villarreal, y ahí estaba con él un periodista llamado Isaac Díaz Araiza (casado con Margarita Mora, actriz que fue compañera de Jorge en dos películas), y quien era, según me dijo Ramón, el Jefe de Prensa de Mario Moreno. Al presentarnos, Ramón dijo:

—La señora Barajas era la secretaria de Jorge Negrete en la ANDA.

Entonces Díaz Araiza me dijo:

—No sabe usted, señora, cuánto le ha dolido a Mario la muerte del señor Negrete. Él lo quería mucho.

Yo le contesté:

—No me haga reír, si Mario Moreno de verdad hubiera, no digamos querido, siquiera apreciado de verdad al señor Negrete, no le hubiera clavado un puñal en la espalda como hizo al creer por encima de su palabra, la de una mujer malvada y loca.

—A Jorge, continué, le dolieron mucho las calumnias de esa señora y las actitudes de algunas personas, pero lo que sin duda lo hirió más fue la actitud y las palabras de Mario, pues a él lo consideró su amigo durante muchos años.

—Y esto que le voy a decir, continué más acalorada, es mi opinión personal, a mí me parece que Mario siempre le tuvo envidia al señor Negrete, por ser más querido y respetado por la mayoría de sus compañeros, y también porque Jorge nació señor y murió señor, y Mario, a pesar de su fama y su fortuna, nació pelado y morirá pelado.

El señor Araiza estaba pálido, no dijo nada, sólo se despidió y se marchó.

Ramón Villarreal se moría de risa, y me dijo:

—Señora Barajas, ¿con qué las criaron? Usted y su prima Angélica Ortiz, son muy bravas y dicen claramente lo que sienten y lo que piensan. Qué bueno que le dijo todo eso a Isaac, pues, en verdad, la actitud de Mario fue bochornosa.

A mí en lo personal Mario Moreno me fue siempre muy desagradable como hombre. El actor era aparte. Pero las veces que hablé con él (pocas por fortuna), siempre me dio la impresión de tener muchos gatos en la barriga. Tenía de humilde y sencillo lo que yo de china.

Yo quise mucho a Miroslava y él se portó con ella de la manera más infame. Cuando filmaron juntos "A Volar Joven", él logró enamorarla y la hizo sufrir mucho. Ella era entonces muy joven, muy vulnerable y muy solitaria; era una persona muy necesitada de amor, en especial del amor de un hombre, y como él era el "genio", ella, en su candidez, se sintió como "elegida de los dioses" y realmente se enamoró de él y él se aprovechó y la manejó a su antojo.

Como cualquier mujer enamorada, necesitaba de su compañía y lo llamaba, él le contestaba de mala manera:

—Espérame en tu casa, yo te llamo.

Lo sé porque varias veces ella se lamentó de este trato conmigo y con otras amigas. Nos comentó que esperaba en su casa, junto al teléfono, durante horas, días y hasta semanas y él no aparecía. La hizo polvo. La hizo perder la poca confianza que tenía de sí misma y en la vida. Ella era un ser muy vulnerable, baste recordar lo terrible que fue su infancia durante la Segunda Guerra Mundial, cuando vivía en Checoslovaquia.

Esta desesperación de esperar la entendemos mejor las mujeres, pues cuando nos enamoramos de un hombre profundamente y esperamos con ansiedad su llamada, cada vez que suena el teléfono se nos sale el corazón por la boca y si al contestarlo el que llama no es él, la frustración es horrible.

Cuando él la abandonó, sufrió intensamente y tuvo una depresión que la afectó para el resto de sus días, hasta que al fin se quitó la vida.

Mario tenía muchas cuentas pendientes, la de Miros y otras más; creo que al final, que para él no fue nada agradable, las pagó todas juntas.

Cuando Jorge murió, sin tener derecho y sin pedirle autorización a la familia Negrete, tuvo la desfachatez de subir a la carroza que conducía el féretro del amigo al que había traicionado; además de que de ninguna manera le correspondía ir ahí.

Pedro Infante

Con esa tremenda inquietud de mi madre y su gusto por cambiar de casa, que yo nunca he podido entender, en febrero de 1943 nos volvimos a cambiar, en esta ocasión a la casa ubicada en la calle de Morena No. 337, casi esquina con la calle de Amores.

Nuestra vecina, que vivía en la casa que sí era esquina de Morena y Amores, era una encantadora mujer llamada Minerva González. Mi madre hizo una gran amistad con ella, al grado que nosotros la llamábamos "tía Mine". Ella fue también gran amiga de mi tía Chita, madre de mi prima Angélica Ortiz y, por lo tanto, abuela de mi adorada sobrina Angélica María y bisabuela de mi niña linda Angélica Vale. La amistad entre mi madre y Mine duró hasta la muerte de ambas.

Una tarde, cuando regresaba a mi casa después de trabajar, ella, Mine, estaba en la puerta de su casa recibiendo a una joven pareja que llegaba a visitarla. Cuando me vio, me llamó y me pidió que entrara en la casa junto con ellos. Me los presentó diciendo:

—Mira Carmela, ellos son Pedro y María Luisa. Hace poco que llegaron a México. Son de Sinaloa y apenas acaban de instalarse en una casita aquí atrás, en la calle de Xola. Pedro canta y quiere ver si puede abrirse camino en la capital. Yo los estimo mucho y a María Luisa la conozco desde hace muchos años. Les he dicho que tú tienes una buena amistad con Jorge Negrete y Pedro dice porque no se lo presentas para ver si lo ayuda.

Aquella pareja de jóvenes que tenía poco tiempo de haber llegado de Sinaloa y a quienes no había visto nunca en casa de

Pedro y María Luis cuando yo los conocí en casa de "tía Mine".

María Luisa León de Infante, encantadora mujer, que fue el motor que impulsó a Pedro.

Mine, eran Pedro Infante y su esposa María Luisa León. A mí, el tal Pedro me cayó muy bien, y le dije que con todo gusto lo presentaría con Jorge, que le iba a preguntar cuándo lo podría recibir. (Esto ocurría en 1943, años antes de que empezara a trabajar con Jorge).

En efecto, llamé a Jorge por teléfono y le pregunté cuándo podría llevarle a presentar a un joven que cantaba muy bonito, que era muy simpático y que lo admiraba mucho. Jorge me dijo:

—Tráelo a la casa el próximo domingo, en la tarde, y aquí platicamos.

Jorge y su familia seguían viviendo en la casa de Av. Coyoacán 124, y allá nos fuimos Pedro y yo a verlo. Recuerdo perfectamente que Pedro llevaba puesta una chamarra café oscuro, de esas que tienen flecos de la misma piel y que al levantar los brazos parece que se están deshilachando, creo que les llaman Tamaulipecas. A Jorge, como a todo el mundo, Pedro le cayó muy bien y después de platicar un rato, le dijo:

—Aquí está la guitarra, a ver cántame una canción.

Pedro le cantó "Nocturnal", y por la cara de Jorge se podía ver que le había agradado. Entonces le dijo:

—Mira, Pedro, yo tengo el compromiso de hacer para los hermanos Rodríguez una película que es la continuación de "Ay Jalisco no te Rajes", pero no quiero hacerla. Te voy a recomendar con ellos para que la hagas tú.

En realidad, para entonces Jorge había hecho ya otras películas muy importantes, como "Historia de un gran Amor" y "El Peñón de las Ánimas", y aunque "Ay Jalisco" fue un éxito enorme él ya no estaba para hacer segundas partes de nada.

Él cumplía siempre todo lo que ofrecía y, por supuesto, recomendó a Pedro con los Rodríguez, y como todos sabemos, él hizo "El Ametralladora", que fue la segunda parte de "Ay Jalisco". A mí me parece una cosa muy curiosa que la historia de Salvador Pérez Gómez "El Ametralladora", personaje central de estas dos películas, haya sido el que lanzara a la fama a los dos ídolos más grandes que ha dado nuestro cine.

Pedro, antes de hacer esta película, había hecho pequeñas partes en películas de poco presupuesto, y había cantado en la XEB (El Buen Tono) donde le pagaban la fabulosa suma de $4.00 (cuatro pesos) por canción. Pero, sin duda, la película que dio inicio a su exitosa carrera fue "El Ametralladora".

Los hermanos Rodríguez firmaron un contrato con Pedro por cinco años, durante los cuales haría películas para ellos, cobrando un sueldo de $25,000.00 pesos por cada una. Esto le pareció algo fantástico, increíble, y en realidad en ese momento así era; pero después del éxito de "Nosotros los Pobres" y "Ustedes los Ricos", ese salario ya no era justo.

En 1947 (el año en que me casé), mi madre adorada ya se había vuelto a cambiar. Ahora vivíamos muy cerca de la casa de Pedro, en la esquina de Rebsamen y Xola. Él ya había comprado una casa muy bonita en Rébsamen donde vivió siempre con María Luis y el hermano de ella Jesús León (él todavía vive ahí) quien fue siempre su compañero inseparable, Pedro lo quiso como a un hermano. Ese año Filmex le ofreció a Pedro una película junto a Sofía Álvarez, "La Barca de Oro", con un sueldo diez veces mayor, o sea, $250,000.00 pesos, pero él estaba obligado por su contrato de exclusividad a trabajar para los Rodríguez. Entonces le pidió a Jorge que interviniera y lo ayudara resolver el problema.

En lugar de buscar bronca, de declararse en rebeldía y armar un follón, como el que años después armaría la señora Palma, Pedro pidió ayuda a Jorge, él habló con los Rodríguez y el asunto se arregló.

Yo estaba muy apurada en mi casa con los arreglos para mi boda, y como si fuera una escena de sus películas de comedia, de repente se empezaron a oír los gritos de Pedro retumbando en la escalera:

—Carmela... Carmela... Carmela...

Mi madre me dijo:

—Qué le pasará a ese loco que grita así.

Cuando estuvo parado frente a mí, me dijo:

—Jorge es a todo dar, que digo, a toda madre... Ya me arregló el asunto con los Rodríguez. ¿Sabes qué les dijo?, te lo juro...

—Tienen que darle permiso a Pedro para filmar con Gregorio. Ustedes saben que él puede dar un Do de pecho y, si no lo dejan, lo va a dar de nalgas (yo también juro que esas fueron exactamente sus palabras). Estaba feliz, me cargó (cosa que no es fácil), y se puso a dar de vueltas conmigo, hasta que mi madre le dijo:

—Ya basta, loco condenado, la vas a tirar...

Pedro quiso mucho a mi mamá. Muchas mañanas venía a desayunar a la casa, sólo por verla y saludarla.

Años después, cuando "Tele-Voz" iba a producir "Dos Tipos de Cuidado", Jorge me pidió que lo acompañara a casa de Ismael Rodríguez, a la lectura del script. La lectura se efectuó en la enorme casa que tenía entonces Ismael en la Avenida Presidente Masarik en Polanco, y que luego fue de Gustavo Alatriste y Sonia Infante, donde estuvo también el Cine Kubrik. En la lectura sólo estuvimos presentes Jorge, Ismael (director de la película), Carlos Orellana (autor del libreto) y yo. La lectura la hizo el propio Carlos Orellana, y desde ese momento se adivinó ya la estupenda y graciosa película que fue. Pedro no pudo estar presente porque estaba haciendo una gira por Estados Unidos.

Jorge siempre apoyó y protegió a Pedro; esto creo que es algo poco conocido para la mayoría del público. Por ejemplo, en el script había una escena en la que Jorge (Jorge Bueno, su personaje), trataba en forma agresiva y violenta a Pedro (Pedro Malo, el personaje de Infante), cuándo Carlos Orellana leyó esta escena, Jorge lo interrumpió, diciendo:

—Perdón, Carlos. No, por favor, tienes que manejar esa escena en otra forma, como está es una escena humillante para Pedro (el real) y eso no me gusta. Además, la verdad es que él es un muchacho muy fuerte ¿verdad Carmen?, que si me diera una trompada me dejaría listo. Yo soy más alto y doy la impresión de ser más fuerte, pero no es cierto, él está más ponchado que yo.

—¿Y cómo quieres la escena?, preguntó Orellana.

—Ya hay bastante violencia verbal en ella. Suprime lo de las bofetadas, creo que así estaría mejor.

Yo quisiera conocer a otro actor que se preocupe por la imagen que daría al público el personaje de otro compañero.

Sin embargo, cuando Jorge murió, la noche del velatorio, llegó Pedro acompañado por un par de motociclistas de los que estaban trabajando con él en "A Toda Máquina (ATM)", película en que compartió créditos con Luis Aguilar. Mi hermana Edelmira y yo nos sentamos junto a Fanny Schiller, Maruja Griffel y Aurora Walker, queridísimas amigas de mi mamá. Al vernos Pedro, se sentó en la fila de atrás con sus amigotes, justo detrás nuestro.

En todos los años (más de catorce) en que traté a Pedro, jamás lo ví tomar, mucho menos lo vi borracho, y eso que estuvimos juntos en innumerables fiestas, tanto en su propia casa como en casas de amigos mutuos; pero esa noche Pedro llegó con copas, estaba "achispado".

Después de un rato, él empezó a hablar con voz demasiado alta para el lugar y la ocasión. Yo volteé a verlo con ojos de pistola; él hizo un mohín como de ¡uy, qué miedo!, y se calló, pero sólo por un rato, pues volvió a empezar otra vez, y no sólo eso, sino que se atrevió a contar un chiste que los dos motociclistas que estaban sentados a cada lado de él, festejaron con risitas sofocadas. Me puse realmente furiosa y le dije:

—Mira Pedro, a ese señor que está ahí tendido, le debes más que a tu propio padre y si a ti ya se te olvidó, aquí estoy yo para recordártelo y, o te comportas como debes o llamó a Crox Alvarado (uno de los amigos y colaboradores más cercanos a Jorge), para que te saque de aquí.

Pedro sabía que yo era capaz de eso y más, así que de inmediato me dijo:

—No te enojes Carmelita, te juro que ya me voy a estar callado.

Durante un tiempo pensé en este incidente, tratando de encontrarle alguna explicación, y la única que encontré es que él, quizá inconscientemente, se sintió liberado de la presión que la figura de Jorge ejercía sobre él. Sabía que ya no había quien le hiciera sombra, dentro del género que ambos cultivaban, y así fue durante los casi cuatro años que sobrevivió a Jorge.

Cuando casi al final de la vida de Jorge, se presentaron juntos en el Teatro Lírico (que fue un espectáculo precioso), inclusive el periodista Roberto Blanco Moheno, que siempre que pudo atacó a Jorge, escribió en su columna: "Se presentaron en teatro juntos Infante y Negrete: INFANTICIDIO".

María Félix

El refrán dice que "la tercera es la vencida". Con Jorge y María esto fue verdad.

La primera vez que se encontraron, que fue en 1938, cuándo él estaba filmando en Guadalajara "Caminos de Ayer", él la abordó —en el parque donde se rodaba la película— en forma amable y galante, diciéndole que como era tan bella debía trabajar en el cine. Entonces ella, con su forma tajante y altiva, lo mandó por un tubo, diciéndole que estaba equivocado, que ella era una señora casada.

Cuatro años después, en 1942, cuando se encontraron por segunda vez y ella ya no era una señora casada..., el encuentro volvió a ser desagradable. Ella era la principiante que llegaba al cine, como él se lo había propuesto, pero en ese momento Jorge ya era el galán de galanes de nuestro cine.

En una ocasión anterior he dicho ya que, en mi muy personal opinión, María creyó que él iba a caer rendido a sus grandes pies, pero él estaba muy enamorado de Gloria Marín y no se impresionó porque ella fuera su dama joven en el "El Peñón de las Ánimas"; por el contrario, se encontraba bastante disgustado porque él quería que la Marín fuera su compañera, y entre ellos surgió una relación tirante, desagradable nuevamente, que se prolongó a través de toda la filmación de la película, y por muchos años más. Casi diez, para ser exactos.

En 1952, cuando ella era ya una gran estrella de fama internacional, y él, a su vez, había terminado con la enfermiza relación con la Marín, el encuentro entre ellos fue muy diferente, aunque precedido de acontecimientos un tanto cuanto curiosos.

María volvía de la Argentina después de haber pasado muchos años fuera de su país, después de haber filmado muchas películas muy importantes al lado de grandes estrellas en España, Francia, Italia, y por supuesto, Argentina.

Allá en Argentina, como él lo había sido unos años atrás, fue recibida con entusiasmo (no con los recibimientos tumultuarios que a él) y gozó del aprecio y amistad que le brindaron el Presidente Juan Domingo Perón y su esposa Eva. Inclusive llegó a tener una relación bastante estrecha con la carismática Eva, pues ambas tenían muchos puntos en común: la belleza, el talento y la osadía; con estas armas las dos llegaron a obtener fama y riqueza más allá de lo que pudieron haber soñado; a Eva le duró poco el gusto, en cambio a María le dura todavía.

En Argentina ella filmó una película junto a Carlos Thompson, galán muy guapo y con mucha fama en su país, que se llamó "La Pasión Desnuda", y los periódicos informaron que al terminar la película se casarían. Incluso, Enrique el hijo de ella, viajó al país pampero para estar presente en la boda, que a fin de cuentas, jamás se llevó a cabo. Primer acontecimiento curioso.

Entonces ella decide volver a México, y le pone un telegrama a su buen amigo Víctor Junco, avisándole de su llegada. Ellos habían trabajado juntos en varias películas y tenían una gran amistad.

El día que Víctor recibió el telegrama, cerca de las tres de la tarde, entró a las oficinas de la Secretaría General, nos saludó muy contento a Jorge, al Lic. Rodolfo Landa y a mí; acercó una silla al escritorio de Jorge y le dijo:

—Mañana llega María Félix de la Argentina y voy a ir a recibirla al aeropuerto...

—Bueno, me parece muy bien, le contestó Jorge.

—Pero, ¿sabes?, quiero decirle que la Asociación le ofrecerá una fiesta de bienvenida...

Jorge se revolvió en su sillón y dijo:

—¿Qué?, ¿pero por qué...?

—Porque se lo merece. María ha triunfado en el extranjero y creo que debemos darle una calurosa bienvenida...

—Perdóname, pero ella no es la única que lo ha hecho. Dolores del Río, Pedro Armendáriz, Arturo de Córdova y yo mismo hemos hecho películas de éxito en el cine de Europa y

Argentina y nadie nos dio nunca fiestas de bienvenida. Además, no creo que el dinero de las cuotas de nuestros compañeros deba gastarse en fiestecitas.

—Está bien Jorge, si yo, como Secretario de Trabajo de nuestra Asociación no puedo tomar una decisión como ésta, te presento mi renuncia.

—Víctor, por favor, no tomes esa actitud. No debes mezclar una cosa con otra. Tu amistad y afecto por esa compañera es una y tu función sindical muy otra.

Los dos estaban muy alterados, siempre fueron muy buenos amigos y me consta cuánto se querían. Viendo que la situación podría tornarse desagradable, el Lic. Landa (Echeverría), intervino:

—Señor Negrete (el Lic. Landa siempre le habló de usted a Jorge), permítame intervenir; yo pienso que la compañera Félix sí ha realizado una encomiable labor fuera de nuestro país y merece un reconocimiento por parte de sus compañeros y de su Asociación.

Jorge movió la cabeza con fastidio y dijo:

—Está bien. Está bien. Ve a recibir a tu amiga y ofrécele su fiesta.

—Bueno, dijo Víctor, pero por supuesto, tú también asistirás a ella, ¿verdad?

—No, ¡eso sí que no! Tú sabes que no me siento bien, ni tampoco tengo humor para festejos.

Aquí volvió a intervenir el Lic. Landa:

—Señor Negrete, si la ANDA le va a dar la bienvenida a una compañera y usted no está presente, es un desaire muy feo. Usted es la cabeza de la Asociación. Si no desea quedarse mucho tiempo, por lo menos esté presente cuando se le dé la bienvenida.

Yo había estado absolutamente muda durante toda esta discusión. Fingía revisar papeles. No me gustaba ver a Jorge tan molesto.

Después de un silencio embarazoso, Jorge volvió a decir:

—Está bien, estaré presente; y dirigiéndose a mí continuó, ¿tú me quieres acompañar?

Levanté la cabeza, y sonriendo respondí:

—Encantada, por mí iré encantada.

Víctor, ya calmado, se levantó y se fue, y nosotros tres, el Lic. Landa, Jorge y yo, salimos también a los pocos minutos de la oficina. Caminamos juntos hasta la calle, y ahí me despedí de ellos y subí a mi coche. Ellos se quedaron platicando cerca de la puerta de la ANDA. Lo ocurrido en la oficina, considero que fue otro acontecimiento curioso.

Al día siguiente Jorge no fue a la oficina.

Después me enteré que el Lic. Landa convenció a Jorge de la conveniencia de que fuera al aeropuerto a recibir a María.

Hay que decir aquí que María era todo lo que la Marín hubiera querido ser. Era la estrella más importante del cine hablado en español; estrella verdaderamente internacional, realmente bella, alta, espectacular y con una personalidad arrolladora. Si con alguien podía Jorge darle un dolor de tripas a la señora Marín, ésa era María. Yo creo que después de pensarlo un poco, decidió que era una buena idea fumar la pipa de la paz con la Doña.

Cuándo María bajó del avión y lo vio, ramo de flores en ristre, esperándola, no lo podía creer. Lo que es cierto es que en este tercer encuentro por fin la magia apareció.

Como su casa de Catipoato estaba en remodelación, María se hospedó en el Hotel Regis (que lamentablemente ya no existe), por lo que la famosa fiesta que tanto se resistió Jorge a brindarle, se efectuaría en el club nocturno "Capri", que se encontraba dentro del mismo hotel.

En la mañana del día en que se iba a realizar el festejo, Jorge me dijo:

—Yo paso a buscarte a tu casa a las cinco de la tarde.

Saliendo de la oficina, me fui al salón de belleza a peinarme. Cuando llegué a mi casa para vestirme y arreglarme mi madre me informó:

—Hija, hace un rato te llamó Jorge. Dijo que no podrá pasar por ti. Que te recogerá el licenciado Landa.

En efecto, el licenciado Landa y su bella esposa Avelita pasaron a recogerme.

Dejamos el coche en un estacionamiento que estaba en una calle atrás del Hotel Regis, y nos encaminamos hacia la puerta del "Capri". En el momento en que llegábamos lo hacía también Julián Soler, que iba solo. Entonces él me tomó del brazo y entramos detrás del licenciado y su esposa. Mientras subíamos la estrecha escalera de caracol que llevaba de la entrada al primer piso donde se encontraba el "Capri", escuchábamos la voz de Jorge que cantaba "Ella", la hermosa canción de José Alfredo Jiménez.

Al entrar al salón, que se encontraba poco iluminado, como todos los centros nocturnos, buscamos con los ojos medio cegatos, la mesa principal donde se encontraría la invitada, los ejecutivos de la ANDA y los otros invitados especiales. Para entonces, Jorge ya había terminado de cantar, pero no lo veíamos por ninguna parte, y es que la Doña, para agradecerle la canción, lo estaba abrazando de una manera tal que materialmente lo envolvía y no se veía parte alguna de su anatomía.

Recuerdo que le comenté a Julián:

—¡Hombre al agua!

—¡Y así fue!, toda la fiesta se la pasaron uno junto al otro, y muy agarraditos de la mano fueron de mesa en mesa saludando a todos los invitados. Así llegaron hasta nuestra mesa, María siempre tuvo un gran afecto por todos los hermanos Soler, en especial por Julián. Ella vestía un hermoso traje de encaje negro que dejaba descubiertos sus hombros; se veía muy bella, feliz y radiante. Jorge también.

Esa noche empezó el romance que culminaría con su boda, la que se llevaría a efecto el 18 de octubre de 1952.

Curiosamente, ese mismo día se casaron mi hermana Lupe y mi cuñado Guillermo. La boda de mi hermana se llevó a cabo en la Iglesia de "La Coronación", dos horas antes que la de Jorge y María, que se realizaría en los jardines de Catipoato.

María vestía un traje de manta color rosa mexicano como de los que usó en "Enamorada", diseñado y confeccionado por su amigo, el famoso modisto Armando Valdez Peza. Jorge, por supuesto, portaba un traje de charro de lujo, color negro, con bellísima botonadura de plata.

Para esta boda, la madre de María, doña Josefa Güereña Vda. de Félix, le regaló a su hija un bello rosario que ella misma había llevado el día de su boda con el padre de la novia, que se casaba por cuarta vez.

Le tout Mexique estaba presente. Actores, directores, pintores, escritores, amigos famosos y no famosos, así como miembros de las familias de los contrayentes.

Mi hermana Edelmira, que me había acompañado, y yo compartimos una mesa con Emilio Fernández y Columba Domínguez. Edelmira llevaba un vestido como el de María, de

*Fotos de Jorge y
María, de las tres
películas que hicieron
juntos: "El Peñón de
las Animas", "Reportaje"
y "El Rapto".*

María en una de sus típicas poses

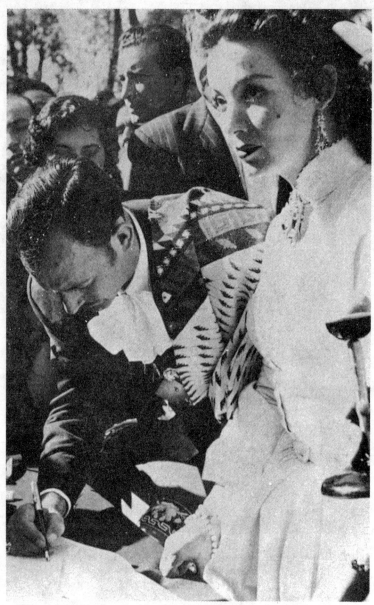

Fotos de la boda de Jorge y María, celebrada en Catipoato el día 18 de octubre de 1952.

Foto de la boda de mi hermana Lupe, celebrada en "La Coronación", el día 18 de octubre de 1952, mismo día de la boda de Jorge y María. Atrás de nosotras está Ma. Luisa León de Infante.

manta, pero de color amarillo. Emilio le decía siempre: mi Columbita, pues en ese tiempo de verdad se parecían. Sin embargo, no nos quedamos mucho tiempo, pues teníamos que volver a la recepción que se ofreció después de la boda de mi hermana Lupe.

Como Catipoato seguía en remodelación, Jorge y María rentaron una casa antigua, amueblada espléndidamente, en la calle de Berlín (ya no existe), en la bella Colonia Juárez. A esa casa y después a Catipoato, fui varias veces a llevarle a Jorge documentos que él debía conocer y firmar. A veces se quedaba en casa, pues ya empezaba a sentirse mal de la enfermedad que lo llevaría a la tumba un año más tarde.

Recuerdo que una noche en que tenía que llevarle algunos documentos para su firma, me llevó doña Aurora Walker (lindísima persona muy amiga de mi mamá) en su coche, pues el mío estaba descompuesto. Cuando llegamos a la casa de Berlín, Jorge estaba en la sala, sentado en un sillón con las piernas cubiertas con una frazada, pues como era el mes de diciembre hacía mucho frío. A los pocos minutos entró María en la habitación, muy bella, con una hermosa bata de encaje blanco, llevándole una charola con su cena, la colocó en una mesita que estaba junto al sillón que él ocupaba, y se sentó en el suelo recargando su cabeza junto a las rodillas de él, sobre las cuales revisaba y firmaba los documentos que le había llevado. A mí, eso me pareció amor.

Cuando salimos de la casa y doña Aurora me llevaba a la mía, comentamos la diferencia del trato cariñoso y juguetón de María hacia él, con el trato altanero de la Marín, por lo menos al final de la relación, que fue lo que yo presencié.

Cuando María regresó a México, una señora llamada Mimí Mendioleta trataba de vender en representación de algún joyero o de algún personaje que no deseaba ser identificado, un juego de collar y aretes de brillantes y unas bellas esmeraldas en forma de almendra que, según se decía, estas prendas habían sido confeccionadas con las gemas de la diadema que había pertenecido a la esposa del Kaiser de Alemania.

Este juego lo había ofrecido la señora Mendiolea a otras actrices que tenían "novios" productores y ricos, pero no había sucedido nada, así que cuando llegó María sabiendo la debilidad de la Doña por las bellas alhajas, ni tarda ni perezosa, se lo llevó hasta su hotel. Así que cuando Jorge le pidió que se casara con él, ya María tenía "a vistas" el famoso collar y se lo ofreció como regalo de bodas.

Cuando él adquirió el compromiso de pagar el collar, que por supuesto tenía un precio en dólares, él pagó la mitad del valor de la joya, y se comprometió a pagar el resto en un lapso que fue pactado con la señora Mendiolea. Pero al poco tiempo nuestra moneda sufrió una fuerte devaluación y la moneda americana se disparó a $8.50; por lo tanto, él volvería a tener que pagar el precio inicial, pues el 50% que debía se dobló. Esta deuda sería causa de una gran controversia a la muerte de Jorge.

Como ya se ha dicho, él había sufrido unos meses atrás, una severa hepatitis que nunca se atendió como era debido. Jamás aceptó su enfermedad, que en realidad venía de muy atrás; desde que ingresó al Colegio Militar siendo un adolescente, el médico que le practicó los exámenes de salud para su ingreso a esa institución le detectó una insuficiencia hepática, que él no tomó en serio y con el tiempo se fue olvidando de ella.

Antes de la hepatitis de 1951, ya había sufrido otra más leve años atrás, pero como él era un hombre joven con una naturaleza muy fuerte, su organismo se recuperaba y él no prestaba la atención necesaria a su salud. Por el contrario, con su eterno exceso de trabajo y preocupaciones abusó de esa naturaleza al límite.

De esta segunda hepatitis, lo atendió el Dr. José Kaim, compañero de carrera y gran amigo de mi marido. Pepe me dijo un día en las oficinas de la ANDA:

—Si este señor no me obedece y guarda completo reposo, no podré hacer gran cosa por él.

Jorge, sonriente, dijo:

—¡Está loco!, quiere que me meta en la cama, pero a mí no me duele nada, ni tengo fiebre ¿qué voy a hacer acostado?, en cambio sí tengo mucho trabajo que no debo permitir que se retrase.

Jamás hubo manera de convencerlo de que se atendiera y de que lo que tenía era muy peligroso, así la hepatitis lentamente se fue convirtiendo en cirrosis. Cuando en verdad empezó a sentirse mal y aceptó ingresar en la clínica, ya era demasiado tarde; la cirrosis es irreversible.

Mientras estuvo casado con Jorge, María filmó tres películas en México. "Camelia" con Jorge Mistral, para FILMEX, y "Reportaje" y "El Rapto", con su marido, para TELE-VOZ. "El Rapto" sería la última película de él. Esta cinta demandó un gran esfuerzo físico de su parte y, aunque sólo tenía 41 años, en su rostro se notaban ya los estragos ocasionados por su enfermedad.

A la muerte de Jorge, María fue atacada terriblemente. Durante el velorio y el entierro de su marido, ella estuvo ataviada con pantalones, prenda que entonces no era tan popular como fue después, y esto a la gente le pareció una falta de respeto.

Esto dio pie para que se hicieran chistes mordaces a su costa, como uno que con frecuencia se repetía:

—¿Ya sabes por qué a María Félix le dicen la viuda FAB?

—¡Porque remoja, exprime y tiende!

Al morir Jorge inesperadamente, sobre todo para él mismo, había todavía una parte del collar que no se había pagado, y esto propició un escándalo periodístico que también contribuyó a dañar su imagen. María quería que la familia de Jorge liquidara ese saldo, y declaró:

—Lo dado, dado.

Pero doña Emilia, siempre inteligente y sensata, hizo una proposición salomónica, dijo:

—Lo que mi hijo pagó ya por el collar, que sea el regalo que él le dio. Si quiere conservar el collar, que sea ella la que pague lo que falta.

Y en realidad, María pagó lo que aún faltaba por liquidar.

Es curioso como el destino teje sus redes para atraparnos y nos lleva a hacer cosas que jamás nos cruzaron por la mente. Por muchos años los caminos que transitaban Jorge y María parecieron alejarse uno de otro más y más. Sin embargo, súbitamente, esos caminos se encontraron en un momento sumamente propicio para estas dos importantes figuras.

Ella volvía, después de varios años de ausencia de su país, llena de triunfos, pero sentimentalmente su éxito parecía estar un tanto empañado con una boda muy anunciada pero no realizada.

Él, con muchos éxitos también, pero sentimentalmente muy maltrecho, acababa de pasar por un rompimiento doloroso y altamente desilusionante.

Encontrarse en este momento fue muy importante para los dos. Ninguno de ellos hubiera pensado que esto pudiera suceder. Ni ella buscó jamás este encuentro, y él, por supuesto, mucho menos. Inclusive, él se había resistido a verla, pero el encuentro al fin se dio.

Se dice que no es buena la venganza, pero sí la desquitanza. Y esta oportunidad se las dio el destino. María pudo dejar con un palmo de narices a Carlos Thompson, y Jorge le pudo dar un fuerte dolor de tripas a Gloria Marín. Desde luego no fue ese el motivo que los llevó a casarse; ¡por supuesto que no! Pero además de la atracción que hayan podido sentir el uno por el otro, que indudablemente la deben haber sentido, se les presentaban otros atractivos... Una unión que les daría una enorme publicidad muy benéfica para sus respectivas carreras y la oportunidad, nada despreciable, de la desquitanza.

Los catorce meses que duró esa unión, creo sinceramente que fueron agradables y gratificantes para ambos. Para él, desgraciadamente, fueron los últimos de su vida. Para ella representaron sólo una corta etapa de su larga vida, pero le dejaron, aparte de un grato sabor, el prestigio de haber sido el amor de un ídolo, pero, más aún, de un hombre cabal como muy pocos.

El final

Para mí, la última vez que lo vi con vida fue el 12 de noviembre de 1953, cuando fuimos juntos a la Premiere de "Reportaje" en el Cine Chapultepec, junto con su hermano David, mi hermana Edelmira e Ismael Rodríguez.

A los pocos días, él saldría rumbo a Los Angeles, California, para hacer presentaciones personales en el teatro "Million Dollars", del empresario Frank Fouce. Por esas presentaciones recibiría un pago que ascendía a veinte mil dólares, una suma fabulosa para aquellos tiempos.

A los pocos días de haber llegado a Los Angeles, cuando se encontraba haciendo los preparativos y ensayos para sus presentaciones, se anunció una gran pelea de box que se llevaría a cabo en la Forum de aquella ciudad, y en la que participaría el popular campeón mexicano Raúl "Ratón" Macías. Jorge, que siempre fue un apasionado del box, no podía perderse esa pelea y asistió al espectáculo acompañado por unos amigos.

Durante esa función boxística Jorge se sintió verdaderamente mal y tuvo su primer gran hemorragia. Fue sacado de ahí de inmediato y llevado en una ambulancia al Hospital Cedros del Líbano, de donde, desgraciadamente, no saldría con vida.

Los primeros días en que estuvo hospitalizado tenía conocimiento, estaba lúcido, y dio varias instrucciones a su hermano David, respecto a que, si moría, todos los gastos que fuera necesario hacer se hicieran con sus recursos personales. Aun en esos momentos no quería que la ANDA tuviera que hacer erogación alguna por su causa. Él, que en buena medida había ofrendado parte de su vida y su salud a su amada Asociación, no deseaba causarle problema de ninguna índole.

Paquito Castellanos, Contador de la ANDA y gran amigo de Jorge, se encontraba en París, y fue él quien informó a María — que estaba en esa ciudad filmando "La Bella Otero"— de la gravedad de su marido. De inmediato ella hizo los preparativos necesarios para que ambos pudieran viajar a Nueva York y de ahí a Los Angeles. Después de más de 30 horas de vuelo, llegó al hospital para estar al lado de Jorge.

La llegada de María reanimó por unas horas al enfermo, incluso pareció recuperarse, pero al día siguiente cayó en estado de coma. Y así, estando él en coma, llegó el 30 de noviembre, día en que cumplió 42 años de edad.

En esa fecha llegaron doña Emilia y su hermana Consuelo.

Nosotros recibimos la noticia de su gravedad en la ANDA, y recuerdo que pregunté al Lic. Landa:

—¿Cree usted que pueda recuperarse, licenciado?, él es un hombre joven y fuerte...

—Desgraciadamente, no lo creo, Carmela, me contestó. Nadie sale de un coma hepático.

Como el resto de su organismo estaba sano, éste luchó tremendamente, pero fue una lucha inútil y el 5 de diciembre de 1953, cinco días después de haber cumplido sus 42 años, dejó de existir este hombre excepcional en muchos sentidos.

Su cuerpo fue llevado a una afamada funeraria para ser embalsamado, pues había que traerlo a México para ser sepultado en este país que él amó tanto, y como lo había pedido cantando en innumerables ocasiones:

México lindo y querido,
si muero lejos de ti,
que digan que estoy dormido
y que me traigan aquí,
México lindo y querido,
si muero lejos de ti...

El primer avión que aterrizó en el aeropuerto internacional "Benito Juárez", que está actualmente en servicio, fue el que trajo su cuerpo; en el mismo avión viajaron también doña Emilia, sus hermanos David y Consuelo, María y Frank Fouce. Aurora Walker, Maruja Griffel y yo, nos pasamos la noche del 5 de diciembre, esperando la llegada del avión, en las enormes y

Fotos de María durante el sepelio de Jorge.
El sombrero blanco de charro que está sobre el ataúd,
lo conserva el Lic. Miguel Alemán Velasco.

Los hermanos Tito y Víctor
Junco y Mario Moreno

Haciendo guardia en la tumba de Jorge:
Fernando Casanova, Teresa Negrete de Gabucio,
Lic. Miguel Alemán Velasco, Consuelo Negrete
de Farías, Lic. Rodolfo Landa, Emilia Negrete
de Muñoz Mireles, Carmen Bajaras Sandoval,
Miguel Bermejo

heladas salas del aeropuerto, pues nos habían avisado a las oficinas de Jorge que esa noche llegaría el avión, pero no fue así.

El 6 de diciembre fue un día nublado, gris y triste, tan nublado y oscuro que el avión tuvo que sobrevolar la ciudad durante dos horas antes de poder aterrizar. El periódico *El Gráfico* sacó un titular que decía: "Sobrevoló dos Horas, en un último Adiós".

En la madrugada de ese día 6 empezaron a llegar sus amigos y compañeros. Pedro Armendáriz, Julián Soler, Crox Alvarado, Carlos Múzquiz, y muchos, muchos más, a quienes vi llorar como niños. Era impresionante ver a ese hombrón que fue Pedro Armendariz, con las solapas de su traje empapadas de lágrimas, y bajito decía;... se nos fue... se nos fue...

Del aeropuerto el cuerpo de Jorge fue llevado al teatro de la ANDA, que ahora lleva su nombre, para que ahí recibiera el homenaje póstumo del pueblo que lo hizo su ídolo. Durante dos días las filas de personas que fueron a verlo, con respeto y en completo orden, cubrieron las calles que rodean la ANDA.

El 8 de diciembre, como a las dos de la tarde, salió el cortejo fúnebre del teatro para conducirlo hasta el Panteón Jardín, donde reposa junto a sus adorados padres, y nuevamente la gente se volcó a las calles para despedirlo, a todo lo largo de la Av. Insurgentes, desde donde está el Monumento a la Madre hasta el panteón mismo, una valla humana lo vitoreó y aplaudió, con las lágrimas rodando por sus mejillas.

En los dos días que duró el velatorio, ni María ni doña Emilia se separaron del féretro. Su madre, con el rostro transfigurado por el dolor, dio otra muestra de entereza como la que le vimos cuando murió don David.

Cuando terminó el sepelio y volvía en mi coche a mi casa, tenía una horrible sensación de soledad, me parecía como que la ciudad estaba vacía, desierta, aunque naturalmente veía, coches y personas, sólo me parecían sombras o fantasmas que se arrastraban como en los sueños desagradables. El pensar que al día siguiente tendría que ir a la oficina se me hacía algo terrible, insoportable.

Y sin embargo, tuve que hacerlo. Tenía que recoger mis cosas personales y entregarle a David muchas de las cosas y documentos que tenía de Jorge.

El Lic. Rodolfo Echeverría fue muy amable y me dijo:

—Carmen, no se vaya, quédese a colaborar conmigo, su trabajo seguirá como hasta ahora.

—Licenciado, dije, le agradezco muchísimo su gesto tan generoso, pero yo estaba aquí por él; créame que no podría seguir viniendo a esta oficina, sería muy doloroso para mí.

Yo jamás pensé, jamás cruzó por mi mente, la posibilidad de que Jorge muriera; aunque sabía que estaba muy enfermo, nunca pensé que pudiera morir. Siempre creí que al final él se recuperaría, que su organismo haría el milagro de superar la enfermedad. El aceptar la fatal realidad me costó mucho trabajo y mucho dolor.

Después de su muerte me tomé unos meses de descanso. Volví a trabajar cuando fue a buscarme a mi casa Luisito de León, que estaba empezando a preparar la filmación de "Sombra Verde", que dirigiría Roberto Gavaldón, y acepté ir a trabajar con ellos. Fue una compensación, pues uno de los escritores era Luis Alcoriza y ahí empezó mi larga y entrañable amistad con él y Janet (Raquel Rojas) su esposa. Ahora, desgraciadamente para mí, hace ya un año que Luis también murió.

¿Por qué, el Jorge que yo amé? porque uno ama a sus padres, a sus hermanos y a los amigos que uno escoge. Además, indudablemente, hubo una etapa de mi vida en que lo amé como hombre y creo que fue lo más normal. Anormal hubiera sido que no lo amara. Lo conocí cuando sólo tenía once años y en la adolescencia las chamacas se enamoran hasta de su sombra, entonces ¿cómo no enamorarme de un hombre así?, yo creo que fue completamente normal que me enamorara de él. Pero cuando me di cuenta de que para él no existía en el mundo nadie que no fuera Gloria Marín, sin dejar de quererlo, pero ya en otra forma, pues lo querré siempre, abrí otra puertita de mi corazón para dejar entrar otro amor, y la verdad es que entraron varios. Pero su querido recuerdo morirá junto conmigo.

Su filmografía

1937   LA MADRINA DEL DIABLO   (1)

Producción: Gonzalo Varela
Dirección: Ramón Peón
Fotografía: Alex Phillips
Reparto: Jorge Negrete, Fernanda Ibáñez, Miguel
Manzano, María Calvo, Consuelo Segarra

Esta, su primera película, es la historia de un joven chinaco
enamorado de una novicia. Algo así como una versión campirana
del Don Juan Tenorio.

1938   **LA VALENTINA**   **(2)**

Producción: Gonzalo Varela
Dirección: Martín de Lucenay
Fotografía: Jack Draper
Reparto: Jorge Negrete, Esperanza Baur, Raúl de
Anda, José Martínez Griffel, Roberto Palacios, Elisa
Christy, y en un pequeño papel David Negrete

Una historia que se desarrolla durante la Revolución con
un episodio imaginario de la Valentina.

1938   CAMINOS DE AYER   **(3)**

Producción: CIFESA
Dirección: Quirico Michelena
Fotografía: Agustín Jiménez
Reparto: Jorge Negrete, Carmen Hermosillo, Eduardo
Arozamena, Amelia Wilhelmy, María Gentil Arcos y
Guadalupe "La Chinaca"

Es la historia de un joven calavera y parrandero que abusa
de una joven inocente pero acaba regenerándose.

1938   PERJURA   (4)

Producción: CISA
Dirección: Raphael J. Sevilla
Reparto: Jorge Negrete, Marina Tamayo, Sara García, Elena D'Orgaz, Luis G. Barreiro, Carlos López Moctezuma, Lita Enhart, Eduardo Arozamena

Bella película que recrea el México de principios de siglo, con personajes que pertenecen a la clase social alta.

1938 AQUÍ LLEGÓ EL VALENTÓN (EL FANFARRÓN)   (5)

Producción: Cinematográfica Indolatina, S.A.
Dirección: Fernando A. Rivero
Fotografía: Jack Draper
Reparto: Jorge Negrete, María Luisa Zea, Magda Haller, Emilio "Indio" Fernández, Armando Soto "Chicote", Pedro Galindo

Historia campirana de un joven que disputa a otro gallardamente el amor de una muchacha

1938   JUAN SIN MIEDO   (6)

Producción: Alfonso Sánchez Tello
Dirección: Juan José Segura
Fotografía: Jack Draper
Reparto: Jorge Negrete, María Luisa Zea, Juan Silveti,
Emilio "Indio" Fernández, Armando Soto "Chicote",
Enrique Cancino

Historia de un torero retirado, apodado Juan sin Miedo, y de su hijo, igualmente valiente, donde hay carreras de caballos al estilo campirano.

1938 **JUNTOS PERO NO REVUELTOS (7)**

Producción: Alfonso Sánchez Tello
Dirección: Fernando A. Rivero
Fotografía: Jack Draper
Reparto: Jorge Negrete, Rafael Falcón, Susana Guízar, Elisa Christy, Armando Soto "Chicote", Agustín Isunza, Manuel Esperón

Las peripecias de dos amigos inseparables y de sus novias, por abrirse paso en la ciudad, pasando las de Caín, pero divertidos.

1938 EL CEMENTERIO DE LAS ÁGUILAS
(8)

Producción: Aztla Films
Dirección: Luis Lezama
Fotografía: Ezequiel Carrasco
Reparto: Jorge Negrete, Margarita Mora, José Masip,
Adela Jaloma, Celia D'Alarcón, Ricardo Mondragón, Loló
Trillo, José Martínez Griffel, Miguel Inclán.

Historia basada en el heroico episodio de nuestros Niños
Héroes, durante la intervención norteamericana.

1941   ¡AY, JALISCO, NO TE RAJES!   (9)

Producción: Rodríguez Hermanos
Dirección: Joselito Rodríguez
Fotografía: Alex Phillips
Reparto: Jorge Negrete, Gloria Marín, Carlos López
"Chaflán", Angel Garaza, Antonio Badú, Evita Muñoz
"Chachita", Víctor Manuel Mendoza, Miguel Inclán,
Antonio Bravo.

La historia de un joven que quiere vengar el asesinato de
sus padres, y va matando, uno por uno, a todos los que participaron
en el crimen.

1941   **SEDA, SANGRE Y SOL**   **(10)**

Producción: José Luis Calderón
Dirección: Fernando A. Rivero
Fotografía: Ross Fisher
Reparto: Jorge Negrete, Gloria Marín, José Ortiz, Florencio
Castelló, Arturo Soto Rangel

Historia relacionada con los entretelones de la fiesta brava
y los amoríos de los toreros.

1942 CUANDO VIAJAN LAS ESTRELLAS
(11)

Producción: Clasa Films Mundiales
Dirección: Alberto Gout
Fotografía: Gabriel Figueroa
Reparto: Jorge Negrete, Raquel Rojas, Angel Garaza,
Domingo Soler, Consuelo Guerrero de Luna, Alfredo
Varela "Varelita"

Una famosa bailarina norteamericana viene a México para
aprender a bailar flamenco, y lo hace cuando se enamora de un
mexicano dueño de un rancho.

1942 HISTORIA DE UN GRAN AMOR
(12)

Producción: Clasa Films Mundiales
Dirección: Julio Bracho
Fotografía: Gabriel Figueroa
Reparto: Jorge Negrete, Gloria Marín, Domingo Soler, Sara
García, Julio Villarreal, Miguel Angel Ferriz, Andrés
Soler, Ernesto Alonso, Fanny Schiller y el niño Narciso
Busquets.

Bella historia de dos seres que se aman desde niños, pero
el padre de ella se opone. Cuando el niño crece y hace fortuna
vuelve por ella, pero es asesinada por un enamorado frustrado.

1942   ASÍ SE QUIERE EN JALISCO   (13)

Producción: Grovas, S.A.
Dirección: Fernando de Fuentes
Fotografía: Agustín Martínez Solares
Reparto: Jorge Negrete, María Elena Marqués, Carlos López Moctezuma, Florencio Castelló, Dolores Camarillo, Eduardo Arozamena

Historia de un joven campirano que disputa el amor de una joven rancherita con el patrón del rancho.

1942   EL PEÑÓN DE LAS ÁNIMAS (14)

Producción: Grovas, S.A.
Dirección: Miguel Zacarías
Fotografía: Víctor Herrera
Reparto: Jorge Negrete, María Félix, Carlos López
Moctezuma, Miguel Angel Ferriz, Roberto Cañedo, René
Cardona, Virginia Manzano, Conchita Gentil Arcos

La historia de dos familias que se odian por generaciones y
la hija de unos y el hijo de otros que se enamoran, algo así como
Romeo y Julieta en el campo mexicano. Por supuesto los dos
mueren, ella a manos de su propio abuelo y él a manos del
prometido de ella.

1942   **TIERRA DE PASIONES**   **(15)**

Producción: CIMES
Dirección: José Benavides
Fotografía: Agustín Martínez Solares
Reparto: Jorge Negrete, Margarita Mora, Pedro
Armendáriz, José Baviera, Margarita Cortés, Carlos
Orellana.

Historia que relata una antigua costumbre del Istmo de
Tehuantepec, terrible y dura, que consiste en que si una
muchacha se casa y no es virgen, se coloca una cazuela sin fondo
en la puerta de su casa.

1943 EL JOROBADO
(ENRIQUE DE LAGARDERE)   (16)

Producción: Films Intercontinental
Dirección: Jaime Salvador
Fotografía: Alex Phillips
Reparto: Jorge Negrete, Gloria Marín, Ernesto Alonso,
Angel Garaza, Adriana Lamar, Andrés Soler, Luis G.
Barreiro

La conocida historia francesa de Enrique de Lagardere, el
jorobado que desenmascara al malvado noble que desea separar
de su madre a la hija de una dama de la nobleza cercana al rey.

1943   UNA CARTA DE AMOR   (17)

Producción: Grovas, S.A.
Dirección: Miguel Zacarías
Fotografía: Ross Fisher
Reparto: Jorge Negrete, Gloria Marín, Andrés Soler, Emma
Roldán, Mimí Derba, Alejandro Ciangheroti

La historia de amor de un chinaco que lucha contra las
fuerzas imperiales y una joven cuya familia ha quedado
arruinada y está comprometida a casarse con un militar viejo, al
que por supuesto no ama, y como se ha casado en secreto con el
joven el día en que tiene que casarse con el viejo, se mata.

1943   EL REBELDE   (18)

Producción: Aguila Films
Dirección: Jaime Salvador
Fotografía: Raúl Martínez Solares
Reparto: Jorge Negrete, Ma. Elena Marqués, Julio
Villarreal, Miguel Angel Ferriz, Felipe Montoya

Un profesor de música, tímido y medroso, da clases de piano a una joven, cuyo padre es déspota y tiránico. El profesor resulta ser el rebelde que trae en jaque a los caciques sinvergüenzas y abusivos de la comarca.

1944 CUANDO QUIERE UN MEXICANO
(19)

Producción: Grovas, S.A.
Dirección: Juan Bustillo Oro
Fotografía: Agustín Martínez Solares
Reparto: Jorge Negrete, Amanda Ledezma, Enrique
Herrera, Vicente Padula, Bertha Lehar, Eugenio Galindo

Un rico ranchero se enamora de una gauchita, pero como
quiere que lo quiera por él mismo y no por su dinero, hace creer
a la muchacha que él es el sirviente del ranchero rico y su
verdadero sirviente se hace pasar por el rico hacendado. Por
supuesto, la joven se enamora de él, sea sirviente o no.

1944 ME HE DE COMER ESA TUNA (20)

Producción: Grovas, S.A.
Dirección: Miguel Zacarías
Fotografía: Agustín Martínez Solares
Reparto: Jorge Negrete, Ma. Elena Marqués, Antonio Badú, Amanda del Llano, Enrique Herrera, Mimí Derba

Graciosa comedia en la que dos amigos hacen una apuesta por el amor de una muchacha a la cual, primero, ninguno de los dos deseaba ver porque la creían muy fea. Pero cuando resulta todo lo contrario, se hacen mil maldades para quedarse con ella.

1945   **CANAIMA**   **(21)**

Producción: Filmex, S.A.
Dirección: Juan Bustillo Oro
Fotografía: Jack Draper
Reparto: Jorge Negrete, Charito Granados, Carlos López
Moctezuma, Gloria Marín, Bernardo Sancristóbal, Alfredo
Varela.

Película basada en la novela del escritor venezolano
Rómulo Gallegos, sobre la violencia en el campo venezolano y las
venganzas por orgullo.

1945 HASTA QUE PERDIÓ JALISCO (22)

Producción: Producciones Diana
Dirección: Fernando de Fuentes
Fotografía: Ignacio Torres
Reparto: Jorge Negrete, Gloria Marín, Armando Soto
"Chicote", Eduardo Noriega, Eugenia Galindo, Federico
Mariscal

Una joven tiene un hijo de su novio y cree que él la
abandonó; el niño es entregado al hermano de ella, quien lo cría
junto con sus amigotes. Este joven se enamora de una
muchacha, pero ésta tiene desconfianza pues cree que él es en
verdad el padre del niño. El novio vuelve y todo se aclara y las
dos parejas se casan el mismo día.

1945   NO BASTA SER CHARRO   (23)

Producción: Producciones Diana
Dirección: Juan Bustillo Oro
Fotografía: Víctor Herrera
Reparto: Jorge Negrete, Lilia Michel, Antonio R. Fraustro,
Armando Soto "Chicote", Eugenia Galindo, Manolo
Noriega y, en un pequeño papel, David Negrete

Un joven llega a un rancho para pedir trabajo y la hija del
dueño lo confunde por el parecido que tiene con él, con el
conocido actor y cantante Jorge Negrete, quien según los
periódicos ha sido secuestrado. Después de graciosos incidentes,
la joven acepta que está enamorada del ranchero y no del actor.

1945   CAMINO DE SACRAMENTO   (24)

Producción: Filmex, S.A.
Dirección: Chano Urueta
Fotografía: Jack Draper
Reparto: Jorge Negrete, Charito Granados, Julio Villarreal,
Carlos Múzquiz, José Martínez Griffel, Ernesto Cortázar

El padre de unos gemelos es asesinado y juran vengarlo. Al crecer uno va a España para estudiar Leyes y el otro se vuelve un bandido que roba en favor de los necesitados, que apodan "El Halcón". La historia ocurre durante la época de la Colonia.

1946 EN TIEMPOS DE LA INQUISICIÓN
(25)

Producción: Grovas, S.A.
Dirección: Juan Bustillo Oro
Fotografía: Víctor Herrera
Reparto: Jorge Negrete, Gloria Marín, Beatriz Aguirre,
Miguel Arenas, Maruja Griffel, Francisco Jambrina

Historia que ocurre en España durante el tiempo de la
Inquisición, cuando se perseguía a los herejes. Un joven noble se
enamora de una mujer árabe y son denunciados al Santo Oficio
y quemados en la hoguera.

1946 EL AHIJADO DE LA MUERTE   26)

Producción: Películas Anáhuac
Dirección: Norman Foster
Fotografía: Jack Draper
Reparto: Jorge Negrete, Rita Conde, Tito Junco, Emma
Roldán, Leopoldo "Chato" Ortín, Francisco Jambrina,
Alejandro Ciangherotti.

Un joven es perseguido y acosado injustamente por
maleantes, como es muy valiente y nada parece poder acabar con
él, la gente supersticiosa dice que la muerte lo protege.

1946   **GRAN CASINO**   **(27)**

Producción: Películas Anáhuac
Dirección: Luis Buñuel
Fotografía Jack Draper
Reparto: Jorge Negrete, Libertad Lamarque, Mercedes
Barba, Julio Villarreal, Alfonso "Indio" Bedoya, Agustín
Isunza, José Baviera, Francisco Jambrina, Charles
Rooner.

Una joven llega a Tampico a buscar a su hermano que
trabaja en los pozos petroleros, ahí se entera de que lo han
matado y el encargado del campo petrolero la ayuda a esclarecer
toda la intriga que hay detrás de la muerte del hermano.

1948 ALLÁ EN EL RANCHO GRANDE (28)

Producción: Grovas, S.A.
Dirección: Fernando de Fuentes
Fotografía: Jack Draper
Reparto: Jorge Negrete, Lilia del Valle, Eduardo Noriega, Armando Soto "Chicote", Lupe Inclán, Beatriz Segura, Juan Calvo.

Nueva versión en colores del gran éxito de 1936 que hicieran famosos a Tito Guízar y Esther Fernández. La intriga de una malvada madrina que quiere vender a su desamparada ahijada al patrón del rancho, pero el caporal que es el novio de la chica impide la mala acción.

1948 SI ADELITA SE FUERA CON OTRO
(29)

Producción: Producciones Diana
Dirección: Chano Urueta
Fotografía: Víctor Herrera
Reparto: Jorge Negrete, Gloria Marín, Crox Alvarado, José
Elías Moreno, Miguel Angel Ferriz, Fernando Casanova,
Felipe de Alba, Arturo Martínez.

Episodio imaginario de la Revolución, en que Pancho Villa
intenta enamorar a Adelita, que es la novia de uno de sus
oficiales.

1948 JALISCO CANTA EN SEVILLA (30)

Producción: Producciones Diana
Dirección: Fernando de Fuentes
Fotografía: Víctor Herrera
Reparto: Jorge Negrete, Carmen Sevilla, Armando Soto "Chicote", Angel de Andrés, Antonio Almorós, Jesús Tordesillas.

Un charro mexicano llega a Sevilla para recibir una herencia de un pariente. La hija del dueño de la propiedad, ella cree que así es, trata mal al recién llegado pues lo toma por un criado, pero se enamora de él y luego descubre que es el verdadero propietario.

1949   LLUVIA ROJA   (31)

Producción: Filmex
Dirección: René Cardona
Fotografía: Agustín Martínez Solares
Reparto: Jorge Negrete, Elsa Aguirre, Julio Villarreal, Alicia Caro, Domingo Soler, Rodolfo Landa, Miguel Angel Ferriz, Narciso Busquets, Eduardo Arozamena

Otro episodio de la Revolución con encuentros y desencuentros amorosos entre una bella joven y un gallardo oficial.

1949   **LA POSESIÓN**   **(32)**

Producción: Grovas, S.A.
Dirección: Julio Bracho
Fotografía: Raúl Martínez Solares
Reparto: Jorge Negrete, Miroslava, Eva Martino, Domingo Soler, Julio Villarreal, Isabela Corona, Agustín Isunza.

Dos acaudalados terratenientes se disputan la propiedad de una loma, los hijos de ambos se enamoran y entre las dos familias hay un terrible conflicto que termina con la muerte.

1950   **TEATRO APOLO**   **(33)**

Producción: Suevia Films
Dirección: Rafael Gil
Fotografía: Santiago Ordoñez
Reparto: Jorge Negrete, María de los Angeles Morales,
Juanito Rendón, Berta González

Bella película hecha en España, que cuenta la vida de una
pareja de cantantes de zarzuela, desde muy jóvenes cuando
empiezan a abrirse camino hasta que han triunfado y son
dueños del Teatro Apolo. La muerte de ella y, al final, la
demolición del teatro.

1950   **SIEMPRE TUYA**   **(34)**

Producción CIPPSA
Dirección: Emilio Fernández
Fotografía: Gabriel Figueroa
Reparto: Jorge Negrete, Gloria Marín, Andrés Soler, Joan
Page, Julio Villarreal, Maruja Griffel, Eduardo
Arozamena

Una joven pareja de gente de campo llega a la ciudad para
ganarse la vida. Ella se emplea de sirvienta y él poco a poco
triunfa cantando. El empieza a descarriarse y a engañar a su
mujer, pero al fin reacciona y vuelven a ser los de antes.

1951 UN GALLO EN CORRAL AJENO (35)

Producción: CIPPSA
Dirección: Julián Soler
Fotografía: Gabriel Figueroa
Reparto: Jorge Negrete, Gloria Marín, Andrés Soler, Julio
Villarreal, Queta Lavat, Eduardo Arozamena, Maruja
Griffel

Una rica y caprichosa joven toma equivocadamente a un
hombre, que también es rico, por un don nadie y lo contrata como
sirviente para su rancho. Después de muchas situaciones
cómicas, se descubre que él ni es sirviente y sí es rico.

1951 LOS TRES ALEGRES COMPADRES
36)

Producción: Mier y Brooks
Dirección: Julián Soler
Fotografía: Jorge Stahl, Jr.
Reparto: Jorge Negrete, Pedro Armendáriz, Andrés Soler, Rebeca Iturbide, Rosa de Castilla, Wolf Rubinskis, Pancho Córdova

Un padre y sus dos hijos, iguales de destrampados los tres, llegan a un pueblo donde hay una feria, y habrá juego. Una chica guapa, les coquetea a los tres por parejo, ella ha robado una gran cantidad de dinero y lo buscan unos matones y la policía. La policía agarra a los matones y a la muchacha.

1952   DOS TIPOS DE CUIDADO   (37)

Producción: Cinematográfica TELE-VOZ
Dirección: Ismael Rodríguez
Fotografía: Gabriel Figueroa
Reparto: Jorge Negrete, Pedro Infante, Carmen Yolanda
Varela, Carmen González, Mimí Derba, Carlos Orellana,
Queta Lavat, José Elías Moreno

Una joven va de paseo a la ciudad y después de un baile es
violada por un rufián. Un primo se casa con ella para legitimar
a la niña; y el que era novio de ella vive acosando al "marido" por
celos. Al final todo el enredo se aclara.

1952   **TAL PARA CUAL**   **(38)**

Producción: Mier y Brooks
Dirección: Rogelio A. González
Fotografía: Raúl Martínez Solares
Reparto:
Jorge Negrete, Luis Aguilar, Ma. Elena Marqués, Queta
Lavat, Rosa de Castilla, Georgina González

Otra comedia de enredos en la que el "padrino" no es el
"padrino" y el "ahijado" y cada uno anda con la chica del otro.

1953   **REPORTAJE**   **(39)**

Producción: Cinematográfica TELE-VOZ y la ANDA
Dirección: Emilio Fernández
Fotografía: Alex Philips
Reparto: Jorge Negrete y María Félix

Cinta hecha a beneficio de Pecime en la que intervienen, sin cobrar, las más grandes estrellas del cine de los años 50's y que consta de varios episodios. El que interpretan Jorge y María, cuenta cómo dos aspirantes a estrellas se alojan en un hotel para prepararse para una prueba que harán al día siguiente. Ella, que repasa sus líneas, está en camisón, con tubos y mascarilla, y él ensayando sus canciones. Ella va a reclamarle por sus berridos y él se asusta al verla y la corre. Pero al día siguiente, cuando está muy bella, se enamora de ella.

1953   EL RAPTO   (40)

Producción: Filmadora Atlántida
Dirección: Emilio Fernández
Fotografía: Agustín Martínez Solares
Reparto: Jorge Negrete, María Félix, Andrés Soler, Rodolfo
Landa, Beatriz Ramos, Emma Roldán, José Elías Moreno,
José Angel Espinosa "Ferrusquilla", Manolo Noriega

El dueño de un rancho se va de viaje y deja encargada su
propiedad a cuatro funcionarios municipales muy sinvergüenzas.
Como se tarda en regresar y hay una compradora para la
propiedad, la venden; pero el dueño regresa y la reclama, y entre
los dos dueños hay una verdadera guerra. Al final se acaba el
pleito pues los dos dueños deciden vivir juntos y compartir la
propiedad.

JORGE NEGRETE
quedó totalmente impreso y encuadernado
el 25 de febrero del 2001. La labor se realizó en
los talleres del Centro Cultural EDAMEX, Heriberto
Frías 1104, Col. del Valle, México, D. F., 03100.